DATE DUE

El vampiro
y otros cuentos

A.N. AFANÁSIEV

El vampiro
y otros cuentos
CUENTOS POPULARES RUSOS IV

Traducción:
Isabel Vicente

Ilustraciones:
Beatriz Martín Vidal

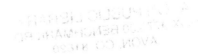

ANAYA

La presente obra es traducción directa de la sexta edición
completa de los Cuentos populares rusos de A.N. Afanásiev
en tres volúmenes, Moscú, 1957.

© De las ilustraciones: Beatriz Martín Vidal, 2008
Traducción de Isabel Vicente
© De esta edición: Grupo Anaya, S.A., 2008
Juan Ignacio Luca de Tena, 15. 28027 Madrid
www.anayainfantilyjuvenil.com
e-mail: anayainfantilyjuvenil@anaya.es

1.ª edición, febrero 2008

ISBN: 978-84-667-6500-8
Depósito legal: M. 19/2008
Impreso en MELSA
Ctra. de Fuenlabrada a Pinto, km 21,800
28320 Pinto (Madrid)
Impreso en España - Printed in Spain

Las normas ortográficas seguidas en este libro son las
establecidas por la Real Academia Española en su última
edición de la *Ortografía*, del año 1999.

Índice

*Vasilisa Popovna**

Érase una vez en cierto reino, en cierto país, un pope* llamado Vasili. Tenía una hija, de nombre Vasilisa y de patronímico Vasílievna, que solía vestir ropas masculinas, montaba a caballo, disparaba con escopeta y cuantas cosas hacía no eran propias de una doncella. Por eso, pocas personas sabían que era muchacha y, pensando que se trataba de un mozo, la llamaban Vasili Vasílievich. Más aún porque Vasilisa era amiga de tomarse unas copas de vodka*, y eso, como es sabido, no les cuadra en absoluto a las jovencitas.

Conque iba una vez de caza el zar* Barjat (que así se llamaba el que reinaba en aquel país) y se cruzó con Vasilisa que, a caballo y con vestido de hombre, también andaba cazando. El zar Barjat, al verla, preguntó a sus servidores:

—¿Quién es ese mancebo?

Uno de los servidores contestó:

—No se trata de un mancebo, majestad, sino de una doncella. Sé de buena tinta que es la hija del pope Vasili y se llama Vasilisa Vasílievna.

Nada más volver a su palacio, despachó el zar Barjat una cédula al pope Vasili diciendo que enviara a su hijo Vasili Vasílievich a visitarle en palacio y comer a su mesa.

---

* La definición de las palabras marcadas con asterisco se encuentra en el vocabulario de la página 253.

Entre tanto, fue a consultar a una viejecita emparentada con la bruja Yagá y que habitaba en el patio trasero de palacio, sobre cómo podría descubrir si Vasili Vasílievich era efectivamente una doncella.

La viejecita le dijo:

—Cuelga en tus aposentos un bastidor de bordar en la pared de la derecha, y una escopeta en la pared de la izquierda. Si efectivamente es Vasilisa Vasílievna, primero echará mano del bastidor de bordar; si es Vasili Vasílievich, echará mano de la escopeta.

El zar Barjat atendió el consejo de la viejecita, y mandó a sus servidores que llevaran un bastidor de bordar y una escopeta a sus aposentos.

En cuanto la cédula del zar llegó a manos del pope Vasili y este se la mostró a su hija, Vasilisa fue a la cuadra, ensilló un caballo gris, caballo gris de crines grises también, y partió para el palacio real.

El zar Barjat salió a recibirla. Ella rezó una plegaria con devoción, santiguose según mandan las Escrituras, se prosternó hacia los cuatro puntos cardinales y, habiendo saludado afablemente al zar Barjat, entró con él en los regios aposentos.

Sentados los dos a la mesa, bebieron fuertes licores y comieron ricos manjares. Luego fue Vasilisa a recorrer los aposentos en compañía del zar Barjat. Y, nada más ver el bastidor de bordar, se aspaventó:

—¿Qué trasto tienes aquí, zar Barjat? Mentira parece ver en estos aposentos semejante bobería de mujerucas. ¡Ni por soñación ha habido nunca nada igual en casa de mi padre!

Luego se despidió deferentemente del zar Barjat y volvió a su casa. Y el zar se quedó con la duda de si sería realmente una doncella.

Habrían transcurrido dos días a lo sumo, cuando el zar Barjat envió otra cédula al pope Vasili pidiendo que le mandara de nuevo a su hijo Vasili Vasílievich. Apenas enterada, Vasilisa fue a la cuadra, ensilló un caballo gris, caballo gris de crines grises también, y partió hacia el palacio real.

El zar Barjat salió a recibirla. Ella le saludó afablemente, rezó una plegaria con devoción, santiguose según mandan las Escrituras y se prosternó hacia los cuatro puntos cardinales.

Siguiendo las indicaciones de la misma viejecita de la otra vez, el zar mandó mezclar perlas con las legumbres secas que acompañaran la cena: si efectivamente era Vasilisa una doncella, iría guardando las perlas en el puño; si se trataba de Vasili, un mancebo, las tiraría debajo de la mesa.

Llegada la hora de cenar, el zar se sentó a la mesa con Vasilisa a su diestra, y juntos se pusieron a beber fuertes licores y a comer ricos manjares.

Cuando sirvieron las legumbres y Vasilisa tropezó con una perla, al llevarse la primera cucharada a la boca, lo tiró todo debajo de la mesa y se aspaventó:

—¿Qué porquería es esta que han mezclado con las legumbres? Mentira parece que en el palacio del zar Barjat echen en la comida semejante bobería de mujerucas. ¡Ni por soñación ha ocurrido nunca nada igual en casa de mi padre!

Luego se despidió deferentemente del zar Barjat y volvió a su casa. Y el zar se quedó con la duda de si sería efectivamente una doncella, aunque ardía en deseos de saberlo.

Un par de días después, mandó calentar el baño* a instancias de la misma viejecita, pues le dijo que si se trataba en efecto de una doncella, Vasilisa no consentiría en modo alguno ir al baño en compañía del zar. El baño fue calentado.

Y otra vez escribió el zar Barjat al pope diciéndole que fuera a visitarle su hijo Vasili.

Nada más enterarse de ello, Vasilisa se dirigió a la cuadra, ensilló su caballo gris, caballo gris de crines grises también, y partió hacia el palacio real.

El zar salió a recibirla al porche de honor. Ella le saludó afablemente y se dirigió a los aposentos por una alfombra de terciopelo. Allí rezó una plegaria con devoción, santiguose según mandan las Escrituras y se prosternó hacia los cuatro puntos cardinales. Luego se sentó a la mesa en compañía del zar Barjat y se pusieron a beber fuertes licores y a comer ricos manjares.

Concluido el almuerzo, preguntó el zar:

—¿Te agradaría ir conmigo al baño, Vasili Vasílievich?

—A las órdenes de vuestra majestad —contestó Vasilisa—. Precisamente soy un gran aficionado a los baños de vapor y hace mucho tiempo que no tomo uno.

Fueron, pues, juntos al baño. Y mientras el zar Barjat se despojaba de sus ropas en la estancia precedente, Vasilisa tuvo tiempo de tomar su baño y largarse de allí. El zar no la encontró ya dentro. Entre tanto, y habiendo salido del baño, Vasilisa le escribió al zar una esquelita que mandó entregarle cuando también saliera él. Y la esquelita rezaba:

—Eres un papamoscas, zar Barjat. Un papamoscas que no ve lo que tiene delante de sus narices. Porque has de saber que yo no soy Vasili, sino Vasilisa.

Así se quedó nuestro zar Barjat con tres cuartas de narices. ¡Para que vean lo lista y lo ingeniosa que era nuestra Vasilisa Vasílievna!

La historia de Mamái Sindiós

Sucedió esto en Rus, en la Rus ortodoxa, durante el principado del príncipe Dmitri Ivánovich. Este príncipe despachó al embajador ruso Zajar Tiutrin a llevarle su tributo a Mamái Sindiós, perro hediondo.

Y el embajador ruso Zajar Tiutrin se puso en camino. Llegó hasta Mamái Sindiós, perro hediondo, y le dijo:

—Toma el tributo que te traigo del príncipe ruso Dmitri Ivánovich.

Contestó Mamái Sindiós:

—Yo no aceptaré el tributo del príncipe Dmitri Ivánovich antes de que tú me laves los pies y beses mis babuchas.

A lo que replicó el embajador ruso Zajar Tiutrin:

—En vez de ofrecer comida y bebida al que viene de tan lejos, prepararle luego un baño y sólo entonces preguntar las nuevas que trae, tú, Mamái Sindiós, perro hediondo, empiezas por ordenarle que lave tus pies musulmanes (¡así se te hinchen las entrañas, por tales palabras, más que un horno de carbonero!) y te bese las babuchas. Pero no le cuadra a Zajar Tiutrin, embajador ruso, lavarle los pies ni besar las babuchas a nadie. Sea el pagano* tártaro Mamái Sindiós, por nuestra santa fe, quien le bese los pies al embajador ruso Zajar Tiutrin.

El perro tártaro se puso furioso: se arrancaba las greñas negras y las arrojaba al suelo, dispersándolas por todas partes. Luego desgarró la carta del príncipe y escribió sus propias cédulas a toda velocidad.

—Mientras granen las espigas de avena, mientras el carnero tenga lana y el corcel hierba y agua bajo los cascos, hasta entonces peleará Mamái Sindiós contra la santa Rus y hasta entonces no probará el agua ni el pan.

Entre los recios y forzudos *bogatires** tártaros eligió a treinta hombres menos uno y así los aleccionó para la vil empresa que les encomendaba:

—Marchad, fieles servidores míos, y adelantaos al embajador ruso Zajar Tiutrin. Dadle muerte por el camino, ya en los bosques tenebrosos, ya en las subidas escarpadas, y arrojad su cuerpo a lo alto de un árbol para que sirva de pasto a las aves.

Zajar Tiutrin, el embajador ruso, se puso en camino. La noche oscura le sorprendió en pleno bosque, pero él no se detuvo a descansar, sino que continuó adelante. Por la mañana, al asomar el sol, vio Zajar Tiutrin, el embajador ruso, que salían del bosque unos recios y forzudos *bogatires*, y que eran treinta menos uno.

Pero Zajar Tiutrin no se arredró ante los paganos tártaros, sino que agarró con entrambas manos una estaca de nudos y se aprestó a recibir a los indeseables huéspedes.

Atacó la tartarería a Zajar Tiutrin, poniendo cerco al apuesto mancebo.

Pero Zajar, volviéndose a un lado y a otro, empezó a descargar su estaca sobre los infieles, y al que alcanzaba lo hacía papilla.

Incapaces de resistir a Zajar Tiutrin, el embajador ruso, los infieles tártaros quisieron ablandarle con buenas palabras.

—Perdónanos la vida, embajador ruso Zajar Tiutrin, y nunca más osaremos enfrentarnos a ti.

Zajar contempló a los recios y forzudos *bogatires*, vio que de los treinta menos uno solo quedaban cinco, y maltrechos, con las cabezas partidas de los estacazos y vendadas con sus fajas. Compadecido de aquellos perros impíos, les permitió que volviesen donde Mamái Sindiós.

—Marchad, pues —les dijo—, y haced saber lo que ocurre cuando se agravia al embajador ruso Zajar Tiutrin.

Luego espoleó los flancos de su noble corcel, que dio un primer salto de cien *sazhenas**, otro de una versta**, y al tercero no volvió ya a tocar la tierra con los cascos.

Iba el embajador ruso haciendo así su camino cuando se le ocurrió una idea: atrapó a doce halcones resplandecientes y a treinta jerifaltes blancos. Lo primero de todo, rompió las cédulas del pagano

Mamái, escribió mensajes suyos a toda prisa, luego los ató a las colas de las aves diciendo:

—¡Halcones resplandecientes! ¡Jerifaltes blancos! Id volando hasta el príncipe Dmitri Ivánovich, allá al Moscú de blanca piedra, y decidle al príncipe Zadonski, Dmitri Ivánovich, que reúna muchas tropas, que las reclute en las ciudades y los pueblos, hasta en las aldeas más apartadas, dejando en las casas tan solo a los ciegos y a los cojos con los niños pequeños para llorarlos. Y decidle que, en tanto, iré yo a mis lugares a hacer leva de los cosacos greñudos y barbudos, de los cosacos del Don.

Despuntaba el sol aquella mañana, cuando nubes preñadas de lluvia menuda y densa velaron el cielo límpido y trajeron un fuerte vendaval borrascoso. Entre el fragor y los truenos, apenas se oía un leve rumor en palacio. El príncipe Dmitri Ivánovich, el príncipe Zadonski, ordenaba allí pregonar por todo el Moscú de blanca piedra un bando que decía:

—Sabed todos, los príncipes y los boyardos*, y los recios y forzudos *bogatires*, y todos los gallardos camperos, que sois llamados a mesa y consejo a los regios aposentos del príncipe Dmitri Ivánovich.

De todos los rincones del Moscú de blanca piedra acudieron todos los nobles y los boyardos, los recios y forzudos *bogatires*, y todos los gallardos camperos a mesa y consejo a los regios aposentos del príncipe Dmitri Ivánovich. Acudieron ansiosos de escuchar su sabia palabra y, más aún, de contemplar su mirada serenísima.

Lo mismo que entre los brezales endebles se yergue el roble añoso, cuya cima reta al firmamento, así descollaba el gran príncipe Dmitri Ivánovich sobre sus nobles y sus boyardos.

Tan pronto calló el toque del clarín dorado, tomó la palabra el príncipe Dmitri Ivánovich Zadonski:

—No os he citado yo aquí para complacernos en beber ni habéis acudido vosotros a solazaros alegremente. Si estáis aquí, es para conocer una infausta nueva: sabed que Mamái Sindiós, perro hediondo, ha lanzado todas sus hordas impías contra la santa Rus. Y el perro Mamái pretende hacernos apurar el cáliz de la amargura. Vayamos, pues, amados guerreros míos, hacia el mar océano. Allí armaremos embarcaciones ligeras para escapar del mar océano al mar de Jvalinsk, al amparo de los padres milagrosos del monasterio de Solovietski. En aquel retiro, nada podrá contra nosotros Mamái Sindiós, perro hediondo. De lo contrario, nos apresará y nos cegará para luego hacernos morir a fuerza de tormentos.

Abatidas sus altivas cabezas, replicaron los nobles y los boyardos:

—Dmitri Ivánovich, príncipe Zadonski: un sol único boga por el firmamento y un único príncipe reina sobre la Rus ortodoxa. No hemos venido aquí a rebatir tu regia palabra. Danos, sin embargo, licencia para contestar cómo se puede vencer a Mamái Sindiós, perro hediondo: vayamos al mar océano, armemos allí embarcaciones ligeras y lancémoslas al mar océano en tanto reunimos tropas infinitas para combatir a Mamái Sindiós, perro hediondo, hasta verter nuestra última gota de sangre. Y venceremos a Mamái Sindiós.

—¿Qué voces son esas? ¿Qué estruendo ha corrido por el aposento? —preguntó en esto Dmitri Ivánovich, príncipe Zadonski.

Y contestó un mendigo caminante de los de báculo y zurrón:

—Eso es, Dmitri Ivánovich, príncipe Zadonski, que al invocar tú a Dios ha huido de este aposento el espíritu maligno, el espíritu enemigo, el mismo que vertió en tu oído palabras incitándote a ir al mar océano, armar embarcaciones ligeras y escapar del mar océano al mar de Jvalinsk.

El príncipe Dmitri Ivánovich dispuso con todo rigor que fueran levadas tropas innumerables por las ciudades y los arrabales, por los pueblos y sus caseríos y hasta por las aldeas más apartadas, dejando en las casas tan solo a los ciegos, a los cojos y a los niños pequeños para llorarlos.

Muchas tropas fueron levadas en todos los lugares de la Rus ortodoxa y concentradas al pie del Moscú de blanca piedra para luego dividirlas y echarlas a suertes entre Semión Tupik, Iván Kvashnin y el embajador ruso Zajar Tiutrin con los siete hermanos de Belozersk.

Y al no tener espacio bastante en Moscú, las tropas marcharon al campo de Kulikovo.

Ya en el campo, en el de Kulikovo, hubo que pensar en el modo de recontarlas.

Zajar Tiutrin, el embajador ruso, montó en su brioso corcel y galopó tres días y tres horas en torno a las tropas sin poder recontarlas, sin poder calcular cuántas verstas ocupaban.

El príncipe Dmitri Ivánovich Zadonski dictó entonces sus órdenes para que las tropas se dispersaran por el campo abierto, que cada hombre tomara una piedrecita o un botón dorado y con ellos fueran señalando robles.

Las tropas señalaron siete robles, y los siete robles quedaron revestidos desde la raíz hasta la cumbre.

Esas tropas innumerables fueron entonces divididas en tres regimientos. El primero lo tomó el príncipe Dmitri Ivánovich Zadonski; el segundo lo tomó el embajador ruso Zajar Tiutrin, y el tercero les correspondió a Semión Tupik, Iván Kvashnin y los siete hermanos de Belozersk.

Echaron a suertes cuál marcharía el primero contra los paganos tártaros. Y la suerte designó primero a Zajar Tiutrin, el embajador ruso, con sus cosacos del Don, greñudos y barbudos, luego a Semión Tupik en unión de Iván Kvashnin y los siete hermanos de Belozersk y, por último, a Dmitri Ivánovich, príncipe Zadonski.

Enterado el rey de Suecia de la magna liza, reclutó fuerzas en número de cuarenta mil hombres.

—Marchad, guerreros míos amados, al campo de Kulikovo, que está fuera de Moscú, y emplazaos, guerreros míos, en los altozanos. Si veis que Dmitri Ivánovich, príncipe Zadonski, vence a Mamái Sindiós, poneos del lado de Dmitri Ivánovich. Si veis que Mamái Sindiós le vence a Dmitri Ivánovich, poneos del lado de Mamái Sindiós.

El rey sueco era astuto: mandaba ponerse del lado de la fuerza que ganaba.

También el rey turco supo de la magna liza. Mandó reclutar fuerzas en número de cuarenta mil hombres y las envió al campo de Kulikovo, ordenándoles:

—Guerreros míos amados: según veréis la fuerza que es vencida, así a su lado os pondréis.

El rey turco era simple: les mandaba ponerse del lado de la fuerza que perdiera.

De tal modo se aprestaron aquellos ingentes ejércitos para una cruenta batalla en el campo de Kulikovo. Marchaba delante Zajar Tiutrin, el embajador ruso, con los cosacos del Don, greñudos y barbudos. A su encuentro iban las fuerzas de Mamái Sindiós. Conforme se aproximaban unos a otros, la tierra húmeda, nuestra madre, cedía bajo sus pies y el agua se retiraba.

En esto surgió de bajo tierra el Tártaro Sanguinario, guerrero que medía siete *sazhenas* de altura. Y gritó el tártaro con voz estridente:

—¡Dmitri Ivánovich, príncipe Zadonski! Te reto a combate singular. Y si no aceptas este combate singular, a todas tus tropas las mataré, las haré pedazos, las convertiré en lodo...

Y habló así en respuesta Dmitri Ivánovich, príncipe Zadonski:

—Pues no tengo otro valimiento, yo me enfrentaré al Tártaro Sanguinario en combate singular.

Revistió entonces su sólida armadura, hebilló sus bridas de acero mientras ensillaban su brioso corcel con arnés circasiano y, empuñando su maza de combate, marchó al encuentro del Tártaro Sanguinario. En esto le salió al paso un guerrero anónimo:

—Frena tu caballo, Dmitri Ivánovich, príncipe Zadonski —le dijo—. Yo combatiré al Tártaro Sanguinario, yo rebanaré su cabeza musulmana a ras de los hombros.

Ensilló su brioso corcel ajustando la montura con doce cinchas de seda, no por presunción, que sí por precaución.

—Yo te libraré, Dmitri Ivánovich, príncipe Zadonski, de una primera muerte. Una vez que yo venza al Tártaro Sanguinario, pelea y combate tú contra el maldito enemigo, contra Mamái Sindiós, perro hediondo, hasta verter tu última gota de sangre, y Mamái Sindiós será vencido.

Dmitri Ivánovich, príncipe Zadoriski, y el guerrero anónimo cambiaron sus caballos el uno por el otro y se despidieron, habiendo bendecido Dmitri Ivánovich al guerrero para su magna lid, para su combate a vida o muerte.

Los dos recios y forzudos *bogatires* se enfrentaron a campo abierto en el de Kulikovo, listos para el combate singular. Descargaron sus mazas, y las mazas se partieron; chocaron sus lanzas, y las lanzas se doblaron; enarbolaron sus sables, y los sables se mellaron.

Saltaron ellos entonces abajo de sus briosos corceles para luchar cuerpo a cuerpo. Y lucharon tres días, tres noches y tres horas sin probar bocado, lucharon sin beber ni una gota de agua. Al cuarto día se desplomaron allí mismo los dos.

El príncipe Dmitri Ivánovich se acercó a ellos: el guerrero anónimo tenía la diestra posada sobre el cuerpo del Tártaro Sanguinario. El príncipe amortajó a su guerrero, lo enterró, y sobre su tumba plantó una cruz que luego revistió de oro.

Entre las filas de Mamái Sindiós, perro hediondo, surgió de bajo tierra otro guerrero que gritó con voz estridente:

—¡Dmitri Ivánovich, príncipe Zadonski! Ven a enfrentarte conmigo si no quieres que destruya yo todas tus tropas y a ti, príncipe, te prive de la luz sacándote los ojos.

Abatió Dmitri Ivánovich, príncipe Zadonski, la altiva cabeza.

—Pues no tengo otro valimiento, me enfrentaré yo al Tártaro Sanguinario en combate singular.

Montó en su brioso corcel y fue al encuentro del Tártaro Sanguinario. En esto le salió al paso otro guerrero con estas palabras:

—Frena tu caballo, Dmitri Ivánovich, príncipe Zadonski. Yo te libraré de una pronta muerte. Mientras yo combato al perro tártaro, lucha y pelea tú contra Mamái Sindiós, perro hediondo, hasta verter tu última gota de sangre. Y Mamái Sindiós será vencido. En caso de que ese *bogatir* de mala muerte me venza a mí, espolea a mi brioso corcel, que te llevará lejos de una pronta muerte.

El príncipe Dmitri Ivánovich y el guerrero anónimo cambiaron sus caballos el uno por el otro, se despidieron, y el príncipe Dmitri Ivánovich bendijo al guerrero para su magna lid, para su combate a vida o muerte. Se enfrentaron los dos recios y forzudos *bogatires* en campo abierto, se enfrentaron en el campo de Kulikovo.

A la primera carga con sus mazas, las mazas se partieron; a la primera acometida lanza en ristre, las lanzas se doblaron; al primer tajo con sus afilados sables, los sables se mellaron. Se apearon de sus briosos corceles y emprendieron la lucha cuerpo a cuerpo. Tres días, tres noches y tres horas se pasaron luchando sin probar bocado, sin beber ni una gota, sin cerrar ni un instante sus serenos ojos... Y al cuarto día se desplomaron allí mismo los dos.

Se acercó el príncipe Dmitri Ivánovich a ellos: por la diestra, la armadura de su guerrero dominaba al tártaro pagano. El príncipe amortajó a su guerrero, lo enterró y sobre su tumba plantó una cruz que luego revistió de oro.

El embajador ruso Zajar Tiutrin se lanzó en esto con los cosacos del Don, greñudos y barbudos, contra las tropas de Mamái Sindiós.

La tarde iba apagando la luz del día, y no había terminado aún la pelea. Cuando al fin concluyó, cada bando se puso a contar las fuerzas que había perdido. Resultó que por cada cosaco del Don, greñudo y barbudo, de los que mandaba Zajar Tiutrin, el embajador ruso, la tartarería había perdido dos mil doscientos de sus infieles.

Avanzó entonces otro regimiento: el que mandaban Semión Tupik, Iván Kvashnin y los siete hermanos de Belozersk.

Asomaba ya el sol esplendente por encima de los bosques, y la pelea no cejaba. Inició el sol esplendente su ocaso, y las fuerzas rusas comenzaron a ser diezmadas.

En esto fue acercándose Dmitri Ivánovich, príncipe Zadonski. Penetró en las tropas de Mamái Sindiós igual que la guadaña afilada penetra en el manto de blanda hierba: por donde pasaba su brioso corcel, allí quedaba una calle abierta; si lo guiaba hacia un lado, era una travesía, y si lo giraba en redondo, despejaba una plaza por la fuerza.

Ya estaba extenuado el príncipe Dmitri Ivánovich, príncipe Zadonski, de tanto pelear, ya se oscurecían sus ojos serenísimos, salpicados de pagana sangre tártara... Y le ordenó entonces a su brioso corcel:

—Líbrame, caballo mío, de una pronta muerte.

Espoleó los redondos flancos del caballo, y el caballo partió tan raudo que apenas rozaba la tierra con sus cascos. Así le condujo el brioso corcel hasta un abedul frondoso que crecía en medio del campo abierto. En torno a aquel frondoso abedul no había ni un solo arbolillo en el campo.

Se apeó Dmitri Ivánovich, príncipe Zadonski, de su brioso corcel, diciéndole:

—Corre, brioso corcel mío, a los campos abiertos, a los vastos prados, come hierba sedosa, bebe agua fresca y no caigas, brioso corcel mío, en manos del pagano Mamái impío, perro hediondo.

Trepó Dmitri Ivánovich, príncipe Zadonski, al frondoso abedul. En esto cruzó por el cielo, a través del campo abierto, una nítida bandada de cisnes blancos. Viéndolos pasar, se dijo Dmitri Ivánovich:

—En castigo de mis viles pecados ha mandado el Todopoderoso a Mamái Sindiós contra la tierra de Rus. Estas aves nos traen el mal agüero de que será vencida la Rus ortodoxa.

Allí permaneció Dmitri Ivánovich, príncipe Zadonski, y al poco tiempo vio correr a una manada de lobos grises por el campo abierto.

—¡Jesucristo bendito! Apiádate de la Rus ortodoxa. No nos dejes a merced del impío tártaro pagano. Esos animales nos traen el mal agüero de que Mamái Sindiós, perro hediondo, nos hará apurar el cáliz de la amargura.

Y se quedó dormido Dmitri Ivánovich, príncipe Zadonski, en el frondoso abedul.

En tanto, las tropas de Mamái Sindiós, perro hediondo, empezaron a vencer.

Entonces el embajador ruso Zajar Tiutrin, con los cosacos del Don, greñudos y barbudos, Semión Tupik, Iván Kvashnin y los siete hermanos de Belozersk, y también toda la fuerza guerrera de Dmitri Ivánovich, elevaron sus preces a Dios.

—¡Señor nuestro Jesucristo, santo y verdadero, Virgen del Don, Santísima madre de Dios! No consintáis que el tártaro infiel profane vuestros sagrados templos, haced que San Jorge interceda por nosotros.

De los bosques oscuros y los verdes sotos surgió entonces un ingente ejército que acometió a las tropas de Mamái Sindiós.

Escaparon los paganos tártaros por el campo abierto, llegaron los paganos tártaros hasta las tierras movedizas, y allí encontraron la muerte.

El poderoso ejército de Dmitri Ivánovich, príncipe Zadonski, recobró ánimos. El embajador ruso Zajar Tiutrin, Semión Tupik, Iván Kvashnin y los siete hermanos de Belozersk se pusieron a inquirir, por si alguien lo había observado, el camino seguido por

Dmitri Ivánovich, príncipe Zadonski. Y callaba el poderoso ejército, sin que nadie contestara.

El embajador ruso Zajar Tiutrin, Semión Tupik, Iván Kvashnin y los siete hermanos de Belozersk desmayaron sus altivas cabezas y en el consejo informaron de que Dmitri Ivánovich, príncipe Zadonski, había perecido luchando contra los paganos tártaros.

Volvía el poderoso ejército por el campo abierto cuando el embajador ruso Zajar Tiutrin divisó un frondoso abedul en el campo abierto y divisó algo que negreaba entre la fronda del abedul. Y al acercarse reconoció Zajar al príncipe Dmitri Ivánovich en aquella mancha que negreaba. Cayó entonces de hinojos a sus pies con estas palabras:

—¡Albricias, Dmitri Ivánovich, príncipe Zadonski! Hemos salvado a la Rus ortodoxa, nuestra madre, y hemos vencido a Mamái Sindiós, perro hediondo.

Bajó el príncipe Dmitri Ivánovich del frondoso abedul y por tres veces se prosternó con reverencia hacia oriente. Después reagruparon el poderoso ejército, recobrando la dicha y la alegría con él.

Un cuento acerca de Alejandro de Macedonia

Érase un rey llamado Alejandro de Macedonia. Y sucedió este hecho allá en época remota, hace muchísimo tiempo: tanto que no lo recuerdan nuestros abuelos ni nuestros bisabuelos ni aun los bisabuelos de los nuestros.

Este rey Alejandro era fuerte entre los fuertes. Nadie en el mundo logró vencerle nunca.

Gustaba de guerrear, y sus ejércitos se componían todos de hombres muy fuertes. Siempre vencía Alejandro de Macedonia a todos los adversarios con quienes guerreaba. Así llegó a someter a todos los reinos de la tierra.

De esta manera llegó hasta los confines del mundo y allí encontró pueblos que le dejaron sobrecogido, aun con todo lo valiente que era. Más fieros que los animales salvajes, devoraban a la gente cruda. Los había con un solo ojo, plantado en medio de la frente, y otros, en cambio, tenían tres. Si unos tenían una sola pierna, otros estaban provistos de tres y en su carrera eran más veloces que la flecha disparada por el arco. Eran estos los pueblos de Gog y de Magog.

Sin embargo, estos extraños pueblos no amedrentaron a Alejandro de Macedonia, que se puso a combatirlos.

Aunque se ignora si fue muy larga o no la guerra que sostuvo contra ellos, el caso es que aquellos extraños pueblos huyeron de él atemorizados. Persiguiéndolos, Alejandro los acosó hasta unas cuevas, unas simas y unas montañas, tan pavorosas que nadie se atrevería a contar ni describir cómo eran.

De este modo se ocultaron a los ojos del rey Alejandro de Macedonia. ¿Y qué hizo con ellos el rey Alejandro? Pues juntó por encima de ellos dos montañas formando una bóveda, plantó una chimenea en lo alto de la bóveda y regresó a su tierra.

Cuando soplan los vientos por la chimenea, se escuchan grandes alaridos, y los que están bajo la bóveda se lamentan:

—¡Oh! Se conoce que aún vive Alejandro de Macedonia.

Esos pueblos de Gog y de Magog todavía existen, temblando solo de pensar en Alejandro, y no saldrán de allí hasta el momento en que se acabe el mundo.

Un juicio de Shemiaka

En cierto lugar de Palestina vivían dos hermanos: el uno rico y el otro pobre.

El hermano pobre fue a pedirle al rico un caballo prestado para traer leña del bosque. El rico le prestó el caballo. El pobre le pidió entonces una collera también. El rico se indignó con su hermano y no le dio la collera.

Al hermano pobre se le ocurrió entonces la idea de atar la leña a la cola del caballo. Y marchó al bosque a cortar leña, y cortó tanta como podía arrastrar el caballo, y volvió a su casa y abrió el portón. Pero se olvidó de abrir las dos hojas. El caballo se lanzó por el hueco que veía, y se quedó sin cola.

El hermano pobre llevó entonces al rico el caballo sin cola. Viendo al caballo sin cola, el rico no quiso aceptarlo de vuelta y fue al juez Shemiaka a presentar humildemente querella contra el pobre. Este, viendo el mal que se le venía encima, pues le harían pagar las costas, y de siempre es sabido que quien nada tiene nada puede dar, marchó detrás de su hermano.

Así llegaron los dos a pedir albergue para la noche en casa de un rico campesino. Este campesino se puso a comer y a beber y a charlar alegremente con el hermano rico, pero sin invitar al pobre a que se uniera a ellos. Y sucedió que el pobre, mientras los contemplaba desde el rellano de la estufa*, se cayó de pronto, matando a un niño que estaba acostado en su cuna.

El campesino marchó también a presentar humildemente querella contra el pobre ante el juez Shemiaka.

Iban juntos camino de la ciudad (el hermano rico y el otro campesino delante, y tras ellos el pobre) y hubieron de atravesar un puente muy alto. Convencido el pobre de que no saldría con vida del juicio de Shemiaka, se arrojó desde el puente con la intención de matarse. En esto, por debajo del puente pasaba un hombre que llevaba a su padre enfermo a tomar un baño de vapor. El pobre cayó sobre el trineo y aplastó al enfermo. El hijo, entonces, fue a presentar humildemente querella ante el juez Shemiaka contra el pobre por haber aplastado a su padre.

El hermano rico llegó humildemente ante el tribunal de Shemiaka y presentó querella contra el hermano que le había arrancado la cola al caballo. El pobre agarró una piedra, la envolvió en el pañuelo y se la enseñó al juez por detrás del hermano pensando: «Si el juez no falla en mi favor, le mato de una pedrada».

Entonces el juez dictaminó que las costas del juicio serían de cien rublos y dispuso que el rico le cediera al pobre el caballo mientras no volviera a crecerle la cola.

Luego llegó el campesino a presentar humildemente querella contra el pobre por la muerte del niño, y empezó a exponer humildemente los hechos.

El pobre sacó la misma piedra y se la enseñó al juez.

Entonces el juez dictaminó que las costas del juicio serían de cien rublos y dispuso que el campesino le entregara al pobre su mujer hasta que diera a luz una criatura.

—Y tú volverás a llevarte entonces a tu mujer y a la criatura a tu casa.

Llegó el hijo a denunciar humildemente la muerte de su padre y presentó querella contra el pobre por haberle aplastado.

Entonces el juez dictaminó que las costas del juicio serían de cien rublos y dispuso que el hijo fuera al puente.

—Tú —dijo al pobre— ponte debajo del puente. Y tú —añadió dirigiéndose al hijo— salta desde el puente sobre el pobre y aplástalo.

El juez Shemiaka despachó a un servidor suyo a pedirle al pobre los trescientos rublos de las costas.

El pobre le mostró la piedra al servidor y dijo:

—Si el juez no hubiera fallado en mi favor, yo le habría matado con esta piedra.

El servidor volvió donde el juez y le repitió lo dicho por el pobre:

—Si no hubieras fallado en su favor, él te habría matado con esta piedra.

—¡Gracias a Dios que fallé en su favor! —se santiguó el juez.

Fue el hermano pobre a casa del rico a llevarse el caballo, según había dispuesto el tribunal, hasta que le creciera la cola.

El rico, que no quería desprenderse del caballo, le dio cinco rublos en dinero, más tres *chetvériki** de grano, más una cabra lechera y luego hizo las paces con él para siempre.

Fue el hermano pobre a casa del campesino a llevarse a su mujer, según había dispuesto el tribunal, hasta que diera a luz una criatura. El campesino quiso entonces hacer las paces con el pobre y le dio al pobre cincuenta rublos, más una vaca con un ternero, más una yegua con un potro, cuatro *chetvériki* de grano y luego hizo las paces con él para siempre.

Fue el pobre a casa del hijo por lo de la muerte del padre y se puso a decirle:

—Según el fallo del tribunal, tú debes subirte al puente y yo ponerme debajo, y tú debes tirarte encima de mí y aplastarme.

El hijo se puso a pensar para sus adentros:

«¿Y si salto del puente, no le aplasto a él y, en cambio, me mato yo del golpe?».

Y se dijo que mejor sería hacer las paces con el pobre. Le dio doscientos rublos en dinero, más un caballo, más cinco *chetvériki* de grano y luego hizo las paces con él para siempre.

Adivinanzas

En cierto reino, en cierto país, érase un viejo que tenía un hijo. Padre e hijo recorrían pueblos y ciudades vendiendo diferentes mercaderías.

Un día partió el hijo a unas aldeas de los alrededores con ese mismo menester. Anda que te anda —no sé si mucho o poco, no sé si hasta muy lejos o no—, llegó cerca de una casita donde pidió albergue para la noche.

—Entra y acomódate —contestó la vieja que allí vivía—. Pero con la condición de que me digas una adivinanza que nadie haya acertado.

—Está bien, abuela.

Entró el mercader en la casita, y la vieja le dio comida y bebida, le preparó el baño, le dispuso un lecho y, cuando estuvo acostado, se sentó allí cerca y le mandó que le dijera una adivinanza.

—Espera un poco, abuelita. Déjame pensar.

Mientras pensaba el mercader, la vieja se durmió. Entonces él se vistió en seguida y salió a toda prisa de la casita.

La vieja le oyó rebullir, se despertó y, viendo que el mercader se marchaba, salió corriendo con un vaso de cierto brebaje y se lo ofreció.

—Toma un trago antes de ponerte en camino —le dijo.

Pero el mercader no quiso beber nada al ponerse en camino. Echó el brebaje en un jarro que llevaba y se marchó.

26

Camina que te camina, le sorprendió la noche oscura en pleno campo. Se dispuso a dormir a cielo raso, allí donde Dios le había conducido. En esto se acordó del brebaje que le había ofrecido la vieja y se preguntó qué sería aquello. Agarró el jarro, se vertió un poco de líquido en la mano, luego frotó con la mano su látigo y atizó al caballo con el látigo. Nada más pegarle, el caballo reventó.

Por la mañana cayeron treinta cuervos sobre la carroña del caballo, la emprendieron a picotazos y, cuando acabaron con él, se murieron todos.

El mercader recogió los cuervos muertos y los colgó de unos árboles.

Entonces acertó a pasar por allí una caravana con mercaderías. Los dependientes que iban a su cuidado vieron las aves en los árboles, las descolgaron, las asaron y se las comieron. En cuanto se las comieron, cayeron todos muertos.

El mercader se hizo con la caravana y emprendió la vuelta a su casa. Anda que te anda —no sé si mucho o poco, no sé si hasta muy lejos o no—, llegó a casa de la misma vieja a pedir albergue para la noche.

La vieja le dio comida y bebida, le preparó el baño, le dispuso un lecho y le mandó que le dijera una adivinanza.

—Está bien, abuela. Te diré una. Pero dejemos las cosas claras para empezar: si aciertas, te quedas con toda mi caravana de mercaderías; si no aciertas, me darás tanto dinero como vale mi caravana de mercaderías.

La vieja aceptó las condiciones.

—Escucha, pues: del vaso, al jarro; del jarro, a la mano; de la mano, al látigo; del látigo, al caballo; del caballo, a treinta cuervos, y de treinta cuervos, a treinta mancebos.

La vieja estuvo dándole vueltas y más vueltas a la adivinanza, pero no pudo acertarla. No le quedó más remedio que pagar.

Entonces el mercader regresó a su casa con el dinero y las mercaderías y vivió tan campante.

* * *

Érase un hombrecillo que tenía un hijo. Habiendo enviudado, se casó con otra mujer y tuvieron dos hijos más. Pero la madrastra le tomó manía al hijastro. No hacía más que regañarle y pegarle. Luego se puso a atosigar a su marido repitiendo:

—Mándalo a servir de soldado*.

Como era inútil discutir con aquella malvada mujer, el hombrecillo terminó mandando a su hijo mayor a servir de soldado.

El muchacho sirvió varios años y luego pidió licencia para ir a su pueblo. Conque se presentó en casa de su padre. Pero viendo que se había hecho un bizarro soldado y que todo el mundo le trataba con respeto, la madrastra se puso más furiosa todavía. Entonces preparó un brebaje muy venenoso y le ofreció un vaso como si fuera vino.

Pero de algún modo se enteró el soldado de lo que era aquello. Tomó el vaso, arrojó disimuladamente el brebaje por la ventana y, sin querer, mojó con él a los caballos de su padre. En el mismo instante reventaron los caballos como si les hubieran puesto una carga de pólvora.

Sintiéndolo mucho, el padre tuvo que mandar a los hijos que arrojaran la carroña a un barranco. Entonces acudieron seis cuervos, se hartaron de carroña y reventaron todos allí mismo. El soldado recogió los cuervos muertos, los desplumó, picó la carne y le pidió a la madrastra que le hiciera con aquella carne unos pastelillos para el camino. Ella aceptó encantada, diciendo: «¡Anda y que coma carne de cuervo este estúpido!».

Pronto estuvieron listos los pastelillos. El soldado los guardó en su mochila, se despidió de su familia y marchó a un bosque muy frondoso donde vivían unos bandoleros. Llegó a la guarida de los bandoleros cuando todos estaban fuera y solo quedaba una viejecita. Entró, extendió los pastelillos sobre la mesa y él trepó al rellano de la estufa.

De repente, entre muchos gritos y mucho alboroto, regresaron al galope los bandoleros, los doce que eran. La vieja le dijo al cabecilla:

—Mientras no estabais vosotros, ha venido un hombre. Ha traído estos pastelillos y él se ha echado a dormir en el rellano de la estufa.

—¡Bien, hombre! Pues, nada: sírvenos bebida para acompañar estos pastelillos, que ya nos las entenderemos luego con él.

Tomaron unas copas de vodka acompañando los pastelillos, y de esta manera se fueron los doce al otro mundo.

El soldado bajó del rellano de la estufa, echó mano de todo el oro y la plata que tenían acumulados los bandoleros y volvió a su regimiento.

Por entonces había recibido el zar ortodoxo un despacho del rey musulmán con la petición de que el zar blanco le pusiera una adivinanza.

—Si no la acierto, me cortas la cabeza y te quedas con mi reino. Si la acierto, te cortaré yo la cabeza y todo tu reino será para mí.

Después de leer este despacho, el zar convocó a todos sus consejeros y sus generales. Pero, por mucho que cavilaron, a nadie se le ocurrió nada. Enterado el soldado, se presentó al zar.

—Majestad —dijo—, yo estoy dispuesto a ir donde el rey musulmán, porque será incapaz de acertar mi adivinanza en toda su vida.

El zar le dejó marchar. Llegó el soldado donde el rey y le encontró rodeado de libros mágicos y con su espada damasquinada encima de la mesa. Recordó el apuesto mancebo que de un vaso de vino habían muerto dos caballos; de dos caballos, seis cuervos, y de los seis cuervos, doce bandoleros, y dijo así la adivinanza:

—Uno a dos, dos a seis y seis a doce.

El rey estuvo cavilando a más cavilar, dándoles vueltas y más vueltas a sus libros, pero no consiguió acertar la adivinanza.

El soldado agarró la espada damasquinada y le cortó la cabeza. Todo el reino musulmán fue a parar a manos del zar blanco, que le concedió al soldado el grado de coronel y le donó grandes propiedades.

El nuevo coronel dio entonces un gran festín y también yo estuve allí. Me dieron de beber hidromiel, pero me corrió por el bigote sin entrarme en el gañote, porque a todos escanciaron del modo mejor, pero a mí me lo echaron con un colador.

*   *   *

Estaba un campesino sembrando un campo cerca de un gran camino cuando acertó a pasar por allí el zar. Se detuvo cerca del campesino y dijo:

—¡Dios te ayude en la siembra!

—Gracias, buen hombre —contestó el campesino sin saber que era el zar.

—¿Sacas mucho provecho de este campo? —preguntó el zar.

—Unos ochenta rublos cuando es buena la cosecha.

—¿Y qué haces con el dinero?

—Veinte rublos son para el tributo, veinte para pagar una deuda, veinte los doy prestados y veinte los tiro por la ventana.

—¿Quieres explicarme, amigo, a quién le pagas la deuda, a quién le das el préstamo y por qué tiras lo demás por la ventana?

—Pago la deuda manteniendo a mi padre, doy prestado alimentando a mi hijo, y lo que tiro por la ventana es lo que gasto dando de comer a mi hija.

—¡Razón tienes! —exclamó el soberano.

Luego le regaló un puñado de plata, se dio a conocer y le hizo jurar que, de no ser en presencia suya, a nadie le diría lo que acababan de hablar.

—Te lo pregunte quien te lo pregunte, tú no se lo digas a nadie.

Regresó el zar a su ciudad capital, convocó a los boyardos y los generales y les dijo:

—A ver quién acierta una adivinanza. Yendo de camino vi a un campesino sembrando un campo. Le pregunté qué provecho le daba aquel campo y qué hacía con el dinero. El campesino contestó que, siendo buena la cosecha, sacaba ochenta rublos. De ellos, veinte son para pagar el tributo, veinte para pagar una deuda, veinte los da prestados y los veinte restantes los tira por la ventana. A quien sepa explicar esta adivinanza, le premiaré con una buena recompensa y grandes honores.

Los boyardos y los generales estuvieron piensa que te piensa, pero sin dar con la solución. Hasta que a uno de los boyardos se le ocurrió ir a ver al campesino con quien había hablado el zar. Le puso delante un montón de monedas de plata y luego le pidió:

—Explícame la adivinanza que ha puesto el zar.

Seducido por tanto dinero, el campesino se lo explicó todo al boyardo, que volvió al palacio del zar y acertó la adivinanza.

Viendo el zar que el campesino no había cumplido su palabra, le hizo comparecer. Llegó el campesino y, a la primera, confesó que le había explicado él la adivinanza al boyardo.

—Pues tú te lo has buscado, hermano: has cometido una falta por la cual serás ejecutado.

—¡Majestad! Yo no he cometido ninguna falta, puesto que le expliqué la adivinanza al boyardo en presencia vuestra.

A renglón seguido, el campesino sacó del bolsillo una moneda de plata de un rublo con la efigie del zar y se la mostró al soberano.

—Razón tienes —dijo el soberano—. Ese soy yo.

Y dejó al campesino en libertad después de recompensarle con largueza.

El cacharrero

Verás: un zar mandó llamar a todos los *bárines** de su reino, a todos cuantos había, para ver quién acertaba una adivinanza. Conque les dijo:

—Adivina adivinanza... Veamos cuál de vosotros acierta esta: ¿qué es lo más dañino y feroz del mundo?

Todos se pusieron a pensar, piensa que te piensa, dándole vueltas y más vueltas en la cabeza —que si tal, que si cual, ¿comprendes?—, empeñados en acertar. Pero como si nada, fíjate: nadie acertó.

El zar los despidió entonces, pero advirtiéndoles:

—En tal fecha habréis de venir nuevamente para lo mismo.

Conque, durante ese tiempo, uno de los *bárines*, que era muy meticuloso, se puso a preguntar por todas partes a ver qué le decía la gente. Les preguntó a los mercaderes, a los comerciantes, a la gente como nosotros... A todo el mundo le preguntó, empeñado en encontrar la explicación a la adivinanza del zar. Hasta que un cacharrero, de esos que van vendiendo pucheros, le dijo:

—Yo puedo acertar esa adivinanza, ¿oyes?

—Bueno, pues dime lo que es.

—No. A ti, no. Solamente se lo diré al zar.

El *barin* empezó a camelarle: que si te daré tal cosa, que si te daré tal otra... Le prometía dinero, le prometía de todo... Pero el cacharrero, firme en sus trece, contestaba siempre lo mismo:

—Al zar sí se lo diré, desde luego; pero nada más que al zar.

Y el *barin* hubo de dejarlo por imposible con la cantilena de que nunca en la vida se lo diría a nadie más que al zar.

De modo que cuando todos los *bárines* volvieron a presentarse ante el zar y tampoco esa vez consiguió ninguno acertar la adivinanza, el *barin* en cuestión dijo:

—Majestad: yo conozco a un cacharrero que asegura poder acertar la adivinanza.

Entonces el zar mandó llamar al cacharrero. De manera que el cacharrero se presentó ante el zar y dijo:

—Majestad: lo más dañino y feroz que hay en el mundo es el dinero. En toda la gente despierta la avidez: por el dinero más que por nada se insultan, se pelean y hasta se matan unos a otros, tanto a cuchilladas como de cualquier otra forma. Incluso un pobre muerto de hambre que se lance a pedir limosna está expuesto, infeliz de él, a que le roben el zurrón en cuanto haya juntado unos cuantos mendrugos, sobre todo si, para desgracia suya, hay alguno más apetitoso. ¿A qué seguir, majestad, si seguramente pasáis vos apuros por culpa suya?

—Cierto, hermano, cierto —replicó el zar—. Tú has acertado la adivinanza. Dime: ¿con qué puedo recompensarte?

—No necesito nada, majestad.

—¿No deseas alguna cosa, campesino? Te daré lo que quieras.

—No necesito nada —repitió el cacharrero—. Pero si tal fuera vuestra real voluntad de concederme una gracia, disponed que se prohíba la venta de pucheros en tantas verstas a la redonda, de manera que nadie más que yo pueda venderlos.

—Concedido —dijo el zar, y ordenó prohibir que nadie más que aquel cacharrero vendiera pucheros por allí.

Con lo cual el hombre empezó a obtener grandes ganancias de su comercio.

Luego, y para favorecerle más, ordenó el soberano que nadie se presentara a él sin un puchero.

Conque un *barin*, que era de lo más roñoso que se puede imaginar, fue un día a comprar un puchero.

—Son cincuenta rublos —dijo el cacharrero.

—Pero oye, ¿estás en tu juicio? —protestó el *barin*.

—Claro que sí —contestó el cacharrero.

—Pues lo compraré en otra parte.

Pero luego volvió:

—Bueno, dame un puchero, anda.

—Coge el que quieras —contestó el cacharrero—. Son cien rublos.

—¡Cien rublos! ¿Te has vuelto loco?

—Loco o cuerdo, el puchero vale cien rublos.

—¡Maldito ladrón! ¡Ahí te quedas con tu puchero! —exclamó aquel *barin*, y se marchó otra vez.

Pensaba ya presentarse al zar sin puchero, pero reflexionó que quedaría mal si era el único que iba sin llevar un puchero. Y volvió otra vez.

—Venga un puchero —le dijo al cacharrero—. Toma los cien rublos.

—No —rechazó el cacharrero—. Ahora cuesta ciento cincuenta rublos.

—¡Tú estás endemoniado!

—No. No estoy endemoniado; pero de ese precio no bajo.

—Entonces, véndeme todo el tejar. ¿Cuánto quieres por él?

—Venderlo, no lo vendería por todo el dinero del mundo. Pero, si quieres, te lo cedo de balde a cambio de que me lleves a cuestas hasta donde está el zar.

El *barin*, que era muy roñoso y muy ávido además, aceptó y llevó a cuestas al cacharrero hasta donde estaba el zar.

El cacharrero tenía las manos manchadas de arcilla y sus pies, calzados con *laptis**, asomaban a los lados.

El zar no pudo contener la carcajada al verlos.

—¡Ja, ja, ja! ¡Pero si eres tú! ¡Y tú también! —porque resulta que había reconocido al *barin* y al cacharrero—. ¿Qué significa esto?

El cacharrero se lo contó todo, tal y como había ocurrido.

—Bueno, hermano, pues quítate toda la ropa y que se la ponga el *barin*. Y tú —le dijo al *barin*—, despójate también de tu traje y dáselo a él, que ahora será señor del feudo en tu lugar, mientras tú harás de cacharrero en lugar suyo.

Sabias respuestas

Un soldado había servido veinticinco años en su regimiento sin haber visto nunca al zar en persona. Cuando volvió a su pueblo y la gente empezó a preguntarle cómo era el zar, él no sabía qué responder. Y todos, familiares y conocidos, dieron en burlarse de él:

—¡Mira que haber servido veinticinco años y no haber visto nunca al zar...!

Tanto le molestaron que se puso en camino para ver al zar. Por fin llegó a palacio.

—¿Qué te trae por aquí, soldado? —preguntó el zar.

—Me trae, majestad, el que habiéndoos servido veinticinco años enteros a vos y a Dios, nunca os había visto. Y he venido a veros.

—Bueno, pues mírame.

El soldado dio tres vueltas alrededor del zar, observándole muy atentamente, hasta que le preguntó el soberano:

—¿Te parezco bien?

—Sí, majestad —contestó el soldado.

—Y ahora, soldado, dime una cosa: ¿está muy alto el cielo de la tierra?

—Tan alto que allí truena y aquí se escucha.

—¿Y es muy ancha la tierra?

—Tan ancha que por aquel lado sale el sol y por aquel otro se pone.

—¿Y es muy profunda la tierra?

—Sí que debe de serlo, puesto que hace un año murió mi abuelo, que tenía ya noventa, le dieron tierra entonces y no ha vuelto a aparecer por casa.

El zar mandó luego al soldado a una celda y le dijo:

—¡Abre el ojo, soldado! Voy a mandarte treinta gansos, y tienes que ingeniártelas para arrancarle una pluma a cada uno.

—¡A la orden!

Llamó el zar a treinta ricos mercaderes y les puso las mismas adivinanzas que al soldado. Ellos estuvieron pensando y venga a pensar, sin encontrar las respuestas. Por eso, el zar los mandó encerrar en la misma celda.

—Y a vosotros, mercaderes, ¿por qué os ha encarcelado el zar?

—Verás: el zar ha empezado a preguntarnos si está lejos el cielo de la tierra, si la tierra es muy ancha y muy profunda, y nosotros, como somos gente de pocas luces, no hemos podido contestarle.

—Si me dais mil rublos cada uno, puedo deciros cómo se debe contestar.

—Lo que quieras, hermano, con tal de que nos ayudes.

El soldado recibió mil rublos de cada uno y les explicó las respuestas a las adivinanzas del zar.

Un par de días después hizo comparecer el zar a los mercaderes y al soldado, les planteó a los mercaderes las mismas adivinanzas y, una vez que las acertaron, les permitió volver a sus casas.

—Y ahora dime, soldado, ¿has sido capaz de arrancarle una pluma a cada uno?

—Así es, majestad. Y puede decirse que una pluma de oro.

—¿Estás muy lejos de tu casa?

—Pues sí debo de estar, porque no se la ve desde aquí.

—Toma mil rublos y ve con Dios.

Volvió el soldado a su casa y se puso a vivir a sus anchas y con todo acomodo.

La discreta doncella

Iban de camino dos hermanos —el uno pobre y el otro bien acomodado— en sendas carretas: la del pobre tirada por una yegua y la del rico por un caballo castrado.

Habiéndose detenido a pernoctar no lejos el uno del otro, resultó que la yegua del pobre parió un potrillo durante la noche, y el potrillo se deslizó bajo la carreta del rico. Al amanecer, este despertó al pobre:

—Despierta, hermano: mi carreta ha parido esta noche un potrillo.

El hermano se levantó exclamando:

—¿Cómo es posible que una carreta para un potrillo? La que lo ha parido ha sido mi yegua.

—Si lo hubiera parido la yegua, el potrillo estaría a su lado —objetó el rico.

Después de mucho discutir, fueron a consultar con gentes entendidas. Y mientras el rico untaba al juez con dinero, el pobre se justificaba de palabra.

El asunto llegó hasta el propio zar, que hizo comparecer a los dos hermanos y les puso cuatro adivinanzas:

—¿Qué es lo más fuerte y veloz en el mundo, qué es lo que más alimenta, qué es lo más blando y qué es lo más agradable?

Y les dio tres días de plazo.

—Al cuarto día, venid a darme las respuestas.

El rico, después de mucho cavilar, se acordó de una comadre suya y fue a pedirle consejo. La comadre le hizo sentar a la mesa y, mientras le agasajaba, preguntó:

—¿Qué te ocurre, compadre? Pareces preocupado.

—Pues me ocurre que nuestro soberano me ha puesto cuatro adivinanzas y solo me ha dado tres días para acertarlas.

—Dime: ¿qué adivinanzas son?

—Ahora verás, comadre. La primera es: ¿qué es lo más fuerte y veloz en el mundo?

—¡Valiente cosa! Mi marido tiene una yegua alazana que es lo más veloz del mundo. Al primer fustazo, corre más que una liebre.

—La segunda es: ¿qué es lo que más alimenta?

—Tenemos nosotros un cerdo que cebamos desde hace más de un año y se ha puesto tan gordo que ni siquiera le sostienen las patas. No hay nada que alimente más.

—La tercera adivinanza es: ¿qué es lo más blando?

—¡Pues un edredón de plumas! ¿Hay algo más blando?

—Y la última: ¿qué es lo más agradable?

—Lo más agradable es Ivánushka, mi nietecito.

—Gracias, comadre. Nunca olvidaré el favor que me has hecho.

El hermano pobre, entre tanto, volvió a su casa llorando amargamente. Su hijita de siete años —la única familia que tenía— le preguntó al verle:

—¿Qué te hace suspirar, *bátiushka**, y verter esas lágrimas?

—¿Cómo no voy a suspirar y verter lágrimas? El zar me ha puesto cuatro adivinanzas que no podré acertar en mi vida.

—Dime a ver qué adivinanzas son esas.

—Verás, hijita: debo acertar qué es lo más fuerte y veloz en el mundo, qué es lo que más alimenta, qué es lo más blando y qué es lo más agradable.

—Vuelve donde el zar, padre mío, y dile que lo más fuerte y veloz es el viento; lo que más alimenta es la tierra, pues ella da sustento a todo lo que crece y a todo lo que vive; lo más blando es la mano, pues cualquiera que sea su lecho el hombre siempre apoya en ella la cabeza; en cuanto a lo más agradable, no hay en el mundo nada como el sueño.

Volvieron donde el zar los dos hermanos, el rico y el pobre, y, en habiendo escuchado sus respuestas, preguntó el zar al pobre:

—¿Has acertado tú solo las respuestas o te ha ayudado alguien?

—Majestad, me ha ayudado una hijita de siete años que tengo.

—Ya que tanto sabe tu hija, toma este hilo de seda y dile que me teja, para mañana, una toalla calada.

El hombre tomó la seda y volvió a casa, muy triste y apenado.

—¡Qué desgracia! —le dijo a su hija—. El zar te manda tejer una toalla con este hilo de seda.

—No te aflijas, *bátiushka* —contestó la pequeña y, partiendo una varita de la escoba, le dijo a su padre—: Ve donde el zar y dile que encuentre a un artesano capaz de hacer un telar con esta varita para que yo pueda tejer la toalla.

El hombre volvió con la embajada al zar y este le dio entonces centenar y medio de huevos con esta orden:

—Entrégaselos a tu hija, y que para mañana me traiga ciento cincuenta polluelos.

Regresó el hombre a su casa, más triste y apenado que la primera vez.

—¡Ay, hijita! Escapamos de un apuro para caer en otro mayor.

—No te aflijas, *bátiushka* —replicó la pequeña.

Luego agarró los huevos, los coció, los guardó en la despensa y mandó a su padre con este recado para el zar:

—Dile que para alimentar a estos polluelos necesito mijo que haya sido sembrado, segado y trillado el mismo día que se haya arado el campo, porque estos polluelos no probarían siquiera el mijo de otra clase.

Después de escuchar al pobre hombre, habló así el zar:

—Ya que tan discreta es tu hija, dile que comparezca mañana aquí, ni a pie ni a caballo, ni desnuda ni vestida, ni con presentes ni con las manos vacías.

«Esta vez —iba pensando el hombre— sí que estamos perdidos. Eso no es capaz de hacerlo ni siquiera mi hija».

—No te aflijas, *bátiushka* —replicó la pequeña después de oírle—. Ve donde los cazadores y cómprame una liebre y una perdiz vivas.

El padre fue a comprar lo que le había pedido.

Al día siguiente por la mañana, la niña se despojó de toda su ropa y se echó por encima una red, luego tomó la perdiz entre las manos, se montó en la liebre y partió hacia palacio. El zar salió a recibirla, y ella le saludó con una reverencia.

—Aquí tienes un presente, señor mío —dijo presentándole la perdiz.

El zar adelantó la mano para cogerla, pero la perdiz agitó las alas y echó a volar.

—Está bien —dijo el zar—. Lo has hecho todo como yo había

mandado. Y ahora, dime: siendo tan pobre tu padre, ¿de qué os alimentáis?

—Mi padre pesca en tierra, sin echar redes al agua, y yo me llevo los peces en la falda para hacer sopa con ellos.

—¿Eres tonta? ¿Dónde se ha visto que haya peces en tierra? Los peces viven en el agua.

—¿Y tú eres muy listo? ¿Dónde se ha visto que una carreta para un potrillo? ¡La que pare es la yegua, y no la carreta!

El zar dispuso que el potrillo le fuera entregado al hermano pobre, hizo que la hija de siete años se quedara en palacio y, cuando creció, se casó con ella, que así se convirtió en zarina*.

El bracero del pope

El pope de cierta aldea apalabró a un bracero y le mandó a arar el campo con una perrita y le dio una hogaza entera de pan diciéndole:

—Toma, muchacho: esto es para que estés alimentado, y para que también lo esté la perrita, pero a condición de que quede intacta la hogaza.

Conque el bracero agarró y se marchó al campo y, una vez allí, se puso a arar. Estuvo arando y venga a arar, hasta que le pareció que era hora de matar un poco el hambre porque ya le sonaban las tripas. Pero ¿y las recomendaciones del pope?

Sin embargo, como el hambre aguza el ingenio, el bracero acabó encontrando una solución. Conque hizo lo siguiente.

Fue quitándole con mucho cuidado la corteza a la hogaza hasta sacar toda la miga, sació su hambre, le dio de comer a la perrita, luego juntó la corteza igual que estaba antes y siguió arando hasta la caída de la tarde, tan campante y como si tal cosa.

Cuando empezó a oscurecer, volvió a casa del pope, que estaba esperándole junto al portón, y le preguntó:

—¿Qué tal, muchacho? ¿Estás alimentado?

—Sí —dijo él.

El pope preguntó otra vez:

—¿Y la perrita está alimentada?

—Sí —dijo el bracero.

Y el pope, de nuevo:

—¿Y la hogaza está intacta?

—Así es —dijo el bracero—. Aquí está, enterita.

Entonces se dio cuenta el pope de la argucia del bracero, y dijo riendo:

—¡Vaya si eres astuto! Como veo, se puede sacar provecho de ti. Me gustas por tus modales y por tu ingenio. ¡Bravo, muchacho! Has sabido salir del paso. Quédate en mi casa porque eres el hombre que necesito.

En efecto, se quedó con él de bracero pagándole más del jornal apalabrado, porque era un muchacho resuelto, arriscado y muy avispado.

Y el bracero vivió allí tan a gusto y regaladamente.

El zarevich* perdido

Éranse un zar y su esposa que tuvieron un hijo.

Habiéndose ausentado el zar, mientras estaba fuera ocurrió una desgracia: desapareció el zarevich. Le buscaron a más y mejor por todas partes, pero fue como si se le hubiera tragado la tierra. Nadie encontró ni huella de él.

El zar y su esposa le lloraron mucho tiempo.

Transcurrieron así quince años y entonces le llegó al zar la noticia de que, en cierta aldea, un campesino había encontrado a un niño que era un prodigio de hermosura y de inteligencia.

El zar ordenó que trajeran inmediatamente a aquel hombre. Ya en palacio empezaron a preguntarle cuándo y dónde había encontrado a aquel niño.

El campesino contestó que lo había encontrado quince años atrás en un redil, envuelto en lujosos pañales.

Según todos los indicios, aquel era el hijo del zar.

Conque le mandó el zar al campesino:

—Dile al muchacho que encontraste que venga a verme: ni desnudo ni vestido, ni a pie ni a caballo, ni de día ni de noche, sin entrar en el patio ni quedarse en la calle.

El campesino regresó a su casa llorando y le preguntó al muchacho cómo podría hacer aquello.

—La cosa no tiene mucha picardía —contestó el chico—. Se le puede encontrar solución.

Conque se desnudó de pies a cabeza, se echó por encima una red, montó en un macho cabrío, llegó a palacio al atardecer y traspuso el portón montado en el macho cabrío de modo que las patas de delante estaban dentro del patio y las de atrás en la calle.

—¡Este es mi hijo! —exclamó el zar al verle.

Los niños prometidos

Éranse dos ricos mercaderes que vivían el uno en Moscú y el otro en Kiev. Como se entrevistaban a menudo para sus negocios, habían hecho amistad y compartían el pan y la sal*.

En cierta ocasión, fue el mercader de Kiev a Moscú, visitó a su amigo y le dijo:

—Dios me ha concedido una gran merced: mi mujer ha traído un hijo al mundo.

—Pues nosotros hemos tenido una hija —contestó el mercader moscovita.

—Choquemos las manos. Yo tengo un hijo, tú tienes una hija... ¡Ya está la pareja! Cuando crezcan, podremos emparentar casándolos.

—De acuerdo. Pero esto no se puede hacer a la ligera. ¿Quién nos dice que tu hijo no rechazará luego a la novia? Tendrás que darme veinte mil rublos de arras.

—¿Y si de pronto se muriese tu hija?

—Entonces te devolvería el dinero.

El mercader de Kiev sacó veinte mil rublos y se los entregó al de Moscú. Este volvió a su casa y le dijo a su mujer:

—¿Sabes una cosa? He prometido en matrimonio a nuestra hija.

La mujer se quedó de una pieza.

—¿Qué dices? ¿Te has vuelto loco? Pero si todavía está en la cuna...

¿Y eso qué importa? De todas maneras, la he prometido en matrimonio. Aquí están las arras: veinte mil rublos.

Bueno, pues siguieron viviendo los mercaderes cada cual en su ciudad, sin visitarse ya, debido a la distancia y a que la marcha de los negocios no les permitía ausentarse.

Entre tanto crecían los niños, y si el hijo del uno era hermoso, la hija del otro lo era todavía más.

Así transcurrieron dieciocho años y, viendo que no tenía la menor noticia de su viejo conocido, el mercader moscovita concedió la mano de su hija a un coronel.

Precisamente por entonces llamó el mercader de Kiev a su hijo para decirle:

—Ve a Moscú y allí verás un lago y, en ese lago, un lazo con liga que puse yo en tiempos. Si ha caído una pata en el lazo, llévatela. Si no ha caído, retira el lazo y tráetelo.

El hijo del mercader hizo sus preparativos y marchó para Moscú. Al cabo de mucho tiempo, cuando estaba ya cerca y solo le quedaba una jornada de camino, se encontró ante un río que debía cruzar. Pero el puente que había sólo estaba entarimado hasta la mitad.

Sucedió que también el coronel seguía el mismo camino. Llegó al puente y no sabía cómo cruzar al otro lado del río. Entonces vio al hijo del mercader y le preguntó:

—¿Adónde vas?

—A Moscú.

—¿Qué menester te lleva?

—Hay allí un lago donde mi padre colocó un lazo con liga hace dieciocho años y ahora me envía con el recado de ver si ha caído una pata en el lazo. Si ha caído, debo llevármela. Si no ha caído, debo retirar el lazo y volver con él.

«¡Qué raro! —se dijo el coronel—. ¿Cómo puede aguantar un lazo dieciocho años? Y aun en el caso de que aguantara, ¿cómo puede vivir tanto tiempo una pata?».

Estuvo dándole más y más vueltas al asunto, pero sin encontrarle solución. Al cabo preguntó:

—¿Cómo vamos a cruzar el río?

—Yo conduciré el carro hacia atrás —contestó el hijo del mercader, y les hizo dar media vuelta a los caballos.

De esta manera llegó hasta la mitad del puente y se puso a entarimar la otra mitad con las tablas por donde había pasado ya. Así alcanzó la orilla opuesta del río y el coronel aprovechó para pasar al mismo tiempo. Cuando llegaron a la ciudad, le preguntó el coronel al hijo del mercader:

—¿Dónde vas a hospedarte?

—En la casa donde puede verse la primavera y el invierno en el portón.

Se despidieron, y cada cual tiró para un lado. El hijo del mercader encontró albergue en casa de una pobre vieja y el coronel se dirigió a la de su prometida. Allí le agasajaron muy bien y empezaron a preguntarle cómo había hecho el viaje.

—Pues me he encontrado con el hijo de un mercader —refirió— y le pregunté qué menester le traía a Moscú. Me contestó que venía a un lago donde su padre colocó un lazo con liga hace dieciocho años. Y ahora le enviaba con el siguiente recado: «Si ha caído una pata en el lazo, llévatela. Si no ha caído, retira el lazo y tráetelo». A todo esto, teníamos que cruzar un río, pero el puente sólo estaba entarimado hasta la mitad. Yo me puse a cavilar cómo pasaría a la otra orilla, pero el hijo del mercader encontró en seguida la solución: condujo el carro hacia atrás y fue entarimando la otra mitad del puente con las tablas por donde había pasado ya. Y también me pasó a mí.

—¿Dónde se ha hospedado? —preguntó la prometida.

—En una casa donde puede verse la primavera y el invierno en el portón.

La hija del mercader se retiró al instante a su habitación, llamó a una sirvienta y le dijo:

—Toma una orza de leche, una hogaza de pan y un cestillo de huevos. Bébete un poco de leche de la orza, empieza la hogaza y cómete un huevo del cestillo. Luego busca la casa donde haya un manojo de hierba y otro de heno atados al portón. Allí encontrarás al hijo de un mercader. Dale el pan, la leche y los huevos y pregúntale si el mar llega hasta las orillas de siempre o ha descendido, si hay luna llena o menguante, y si las estrellas están todas en el cielo o se ha caído alguna.

Se presentó la criada al hijo del mercader, le hizo entrega de los presentes que traía y le preguntó:

—¿Llega el mar hasta las orillas de siempre o ha descendido?

—Ha descendido.

—¿Hay luna llena o menguante?

—Menguante.

—¿Están todas las estrellas en el cielo?

—No. Una se ha caído.

Volvió la criada a casa del mercader y le refirió a la hija aquellas respuestas.

—*Bátiushka* —dijo entonces la hija del mercader a su padre—, el prometido que queréis darme no lo puedo aceptar, pues tengo otro hace mucho tiempo. Usted y su padre chocaron las manos cuando así lo concertaron.

En seguida mandaron en busca del prometido verdadero, se preparó la boda, celebrándola con un gran banquete, y al coronel le despidieron.

En la boda estuve yo también. Bebí vino, bebí hidromiel, pero me corrió por el bigote sin entrarme en el gañote.

Un consejo provechoso

Érase un hombre llamado Iván Infortunado. Adondequiera que fuese a trabajar, si a los demás les pagaban un rublo, o incluso dos, a él no le daban más de cincuenta kopeks*.

«¿Pero he nacido yo distinto al resto de la gente? —se lamentaba para sus adentros—. Tengo que ir a ver al zar y preguntarle por qué tengo esta mala suerte». Y así lo hizo.

—¿Qué te trae por aquí, muchacho? —le preguntó el zar.

—Pues he venido por si podéis decirme a qué se debe mi mala suerte.

El zar convocó a sus boyardos y a sus generales para consultarles. Ellos estuvieron pensando y venga a pensar, dándole vueltas y más vueltas al asunto... Pero no se les ocurrió nada. Entonces intervino la *zarevna** y le dijo a su padre:

—Yo creo, *bátiushka*, que quizá mejorase Dios sus horas si contrajera matrimonio.

El zar se indignó con su hija y le gritó:

—Ya que razonas mejor que nosotros, cásate tú con él.

Inmediatamente agarraron a Iván Infortunado, le casaron con la *zarevna* y a los dos los expulsaron de la ciudad con la orden expresa de que no volvieran a aparecer por allí.

Se dirigieron hacia la orilla del mar, y la *zarevna* le dijo a su marido:

—Puesto que no tenemos un reino, ni siquiera un comercio, de alguna manera hemos de salir adelante. Construye una choza en este lugar, y aquí viviremos, rogándole a Dios y trabajando para la gente.

Iván Infortunado construyó una choza, y allí se instaló con su joven esposa. Al día siguiente, la *zarevna* le dio un kopek para que fuera a comprarle hilos de seda. Con ellos bordó un precioso tapiz, y mandó a su marido a que lo vendiera.

Conque iba Iván Infortunado con el tapiz al hombro, cuando se cruzó con un anciano.

—¿Vendes ese tapiz?

—Sí.

—¿Cuánto pides por él?

—Cien rublos.

—¿Y para qué quieres el dinero? Se te puede perder. Mejor será que me lo cedas a cambio de un consejo provechoso.

—No puedo. Soy un hombre pobre y necesito el dinero.

El anciano le pagó los cien rublos. Iván Infortunado volvió a su casa. Al llegar quiso echar mano del dinero, pero lo había perdido por el camino.

La *zarevna* bordó otro tapiz. Iván Infortunado fue a venderlo, y de nuevo se encontró con el anciano.

—¿Cuánto pides por el tapiz?

—Doscientos rublos.

—¿Y para qué quieres el dinero? Se te puede perder. Mejor será que me lo cedas a cambio de un consejo provechoso.

Iván Infortunado aceptó esta vez, después de pensarlo un rato.

—De acuerdo: dímelo.

—Levanta la mano, pero no la dejes caer, y haz de tripas corazón —dijo entonces el anciano, y se marchó con el tapiz.

«¿Y de qué me sirve ahora ese consejo? ¿Cómo me presento a mi mujer con las manos vacías? —pensó Iván Infortunado—. Mejor será que me vaya a la buena de Dios».

Así echó a andar, y venga a andar, hasta que llegó muy lejos, y oyó decir que en aquella tierra había un culebrón de doce cabezas que devoraba a la gente. Iván Infortunado se había sentado en el camino a descansar un poco y dijo en voz alta:

—¡Ay! Si yo tuviera dinero, seguro que acababa con ese culebrón. Pero así... No habiendo dinero, de nada sirve el ingenio.

Un mercader que pasaba por allí escuchó sus palabras y pensó: «Pues es verdad. ¿Y si le ayudara yo?».

—¿Cuánto dinero necesitas? —le preguntó luego a Iván.

—Quinientos rublos.

El mercader le prestó quinientos rublos. Iván Infortunado corrió a los muelles, buscó operarios y comenzó a construir un barco. Pero en nada de tiempo se terminó el dinero. ¿Qué hacer? Fue en busca del mercader.

—Préstame quinientos rublos más —le pidió—, o tendré que abandonar la empresa y se habrá perdido tu dinero sin remedio.

El mercader le dio quinientos rublos más, pero también se terminaron cuando el barco estaba sólo a medio construir. De nuevo acudió Iván Infortunado al mercader:

—Préstame mil rublos más o tendré que abandonar la empresa y se habrá perdido tu dinero sin remedio.

Aunque a regañadientes, el mercader le prestó mil rublos más. Iván Infortunado pudo terminar el barco. Entonces lo cargó de carbón y se hizo a la mar con unos cuantos obreros provistos de picos, palas y fuelles.

Al cabo de cierto tiempo —no sé si poco o mucho— atracó en la isla donde se encontraba la guarida del culebrón. Este, que acababa de darse un atracón, se había metido dentro a dormir mientras hacía la digestión.

Iván Infortunado mandó amontonar el carbón todo alrededor, prenderle fuego y atizar la lumbre con los fuelles. Se formó una humareda que se extendió por todo el mar, y el culebrón reventó... Iván Infortunado empuñó entonces una espada muy afilada, le cortó al culebrón las doce cabezas y en cada una encontró una piedra preciosa.

Al regresar de su campaña, vendió aquellas piedras muy caras y se hizo tan rico que no es para dicho. Le pagó su deuda al mercader y emprendió el regreso para reunirse con su mujer. Llegó Iván Infortunado a su choza y se encontró con que su mujer vivía allí en compañía de dos apuestos mancebos. Eran dos hijos suyos, gemelos, nacidos durante su ausencia.

Pero a Iván le pasó un mal pensamiento por la imaginación y, empuñando su espada afilada, alzó la mano sobre su mujer... En ese instante recordó el consejo del anciano: levanta la mano pero no la dejes caer, y haz de tripas corazón.

Iván Infortunado hizo de tripas corazón, le preguntó a la *zarevna* quiénes eran aquellos mancebos y luego organizaron un alegre festín para celebrar su reunión.

También yo estuve en el festejo. Bebí hidromiel con rosquillas y cerveza para que no se me subiera a la cabeza.

La hija del pastor

En cierto reino, en cierto país, vivía un zar que, aburrido de andar soltero, tuvo la ocurrencia de casarse. Estuvo mucho tiempo observando y buscando sin encontrar novia que acabara de agradarle.

Un día salió de caza y vio en el campo a la hija de un campesino cuidando un rebaño. Era tan linda que nadie habría podido describirla ni de palabra ni con la pluma, ni se hubiera encontrado otra igual en el mundo. El zar se acercó a ella:

—Hola, linda doncella —le dijo amablemente.

—Hola, señor nuestro.

—¿De quién eres hija?

—Soy hija de un pastor que vive aquí cerca.

El zar preguntó todavía, con mucho detalle, cuál era el nombre del padre, cómo se llamaba la aldea donde vivían y luego se marchó. Poco después, al cabo de uno o dos días, se presentó el zar en casa del campesino y le dijo:

—Hola, buen hombre. Quiero casarme con tu hija.

—Tú mandas, señor.

—¿Y tú, linda doncella, te casarías conmigo?

—Sí.

—Te tomo, pues, por esposa con una sola condición: que nunca me contradigas ni una sola palabra. A la menor objeción que me hagas, mi sable, de un tajo, echará tu cabeza abajo.

La linda doncella aceptó la condición.

El zar le dijo que se preparase para la boda, y él envió emisarios a todos los estados vecinos invitando a los reyes y los príncipes a los festejos. Acudieron los invitados y el zar les presentó a la novia, ataviada con sencillas ropas campesinas.

—¿Os agrada mi novia, amables huéspedes?

—Majestad —contestaron los invitados—, si a vos os agrada, a nosotros con más razón.

Entonces ordenó el zar que fuera regiamente alhajada y marcharon a la iglesia.

Como un zar no tiene que hacer grandes preparativos, pues de todo hay de sobra en sus despensas, después de la ceremonia se organizó un gran festín donde todo el mundo comió, bebió y se divirtió.

Terminados los festejos, el zar empezó a vivir en amor y armonía con su joven esposa. Al cabo de un año, la zarina trajo un hijo al mundo, y pronunció el zar estas palabras con mucho rigor:

—A este hijo tuyo hay que matarlo. De lo contrario, los reyes vecinos se burlarán de que, cuando yo falte, mi reino vaya a parar a manos del hijo de una campesina.

—Tú mandas, señor. Yo no puedo contradecirte —contestó la pobre zarina.

El zar le arrebató la criatura a la madre y, en secreto, la hizo llevar a casa de una hermana suya para que allí se criara hasta que él dispusiera.

Transcurrió un año más, y la zarina trajo al mundo una niña. El zar volvió a decir con mucho rigor:

—A esta hija tuya hay que matarla. De lo contrario, los reyes vecinos se burlarán de que no es hija de un zar, sino hija de una campesina.

El zar arrebató a la niña a la pobre madre y la hizo llevar a casa de su hermana.

Pasaron los años, y los niños fueron creciendo. Si el zarevich era hermoso, la *zarevna* lo era todavía más. Tanto que habría sido imposible encontrar otra igual.

El zar reunió su consejo, hizo comparecer a su esposa y dijo:

—No quiero seguir viviendo contigo. Tú eres hija de un campesino y yo soy zar. Quítate los regios atavíos, vístete de campesina y vuelve a casa de tu padre.

Sin objetar una sola palabra, la zarina se despojó de sus regios atavíos, volvió a ponerse su viejo vestido de campesina, regresó a casa de su padre y otra vez llevó a pastar al rebaño.

En esto se supo que el zar iba a casarse con otra. Ordenó que se preparase todo para la boda y, haciendo comparecer a su primera esposa, le dijo:

—Asea bien todos los aposentos, porque hoy traeré a la novia.

Ella aseó los aposentos y se quedó esperando.

El zar trajo efectivamente a la novia y luego acudió un número incalculable de invitados. Todo el mundo se sentó a la mesa a comer, beber y divertirse.

—¿Es linda mi prometida? —preguntó el zar a su primera esposa.

—Si a ti te lo parece, con más razón a mí —contestó ella.

—Pues ahora —le dijo el zar—, vuelve a ponerte tus regios atavíos y toma asiento a mi lado. Tú has sido y serás mi esposa. Porque esta doncella es tu hija y este mancebo es tu hijo.

Desde entonces vivió el zar en compañía de su esposa sin más argucias, sin someterla a más pruebas, y hasta el final de sus días dio fe a cada una de sus palabras.

La hija del mercader difamada

Érase un mercader que tenía una hija y un hijo. Estando el mercader a punto de morir (a su esposa la habían enterrado ya antes), les dijo lo siguiente:

—Hijos míos: amaos como buenos hermanos y vivid en armonía como vivimos vuestra difunta madre y yo.

Conque, muerto el mercader, fue enterrado con exequias y recordatorio muy honrosos.

Al cabo de algún tiempo se le ocurrió al hijo marchar a comerciar a países de ultramar. Fletó tres barcos, los cargó con toda clase de mercaderías y antes de partir le hizo sus recomendaciones a la hermana:

—Querida hermanita: parto para un largo viaje y te dejo sola en casa. Que tu conducta sea discreta. No te dejes envolver en asuntos dudosos ni frecuentes casas ajenas.

Luego intercambiaron sus retratos, quedándose la muchacha uno del hermano y llevándose el hermano uno de ella, y se despidieron llorando.

El hijo del mercader levó anclas, zarpó de la orilla y, habiendo izado las velas, salió al mar abierto. Anduvo navegando un año, luego otro, y al tercero arribó a cierta rica capital en cuya bahía ancló sus barcos.

Nada más llegar, llenó un platillo de piedras preciosas, tomó unas piezas de terciopelo, el brocado y el raso mejores que llevaba y fue a mostrárselo como presente, con su reverencia, al zar que allí reinaba.

Llegó a palacio, se lo presentó todo al zar y le pidió la venia para comerciar en su capital. Habiéndole placido al zar tan valioso regalo, habló así al hijo del mercader:

—Hermosas mercaderías las tuyas. En todos los años que tengo, nadie me había ofrecido nada semejante. Te concedo, pues, el primer puesto para tu comercio. Vende y compra sin temerle a nadie, y si alguna queja tienes, acude a mí sin más. Mañana iré yo a visitar tus barcos.

Al día siguiente fue a ver el zar al hijo del mercader y, mientras recorría los barcos y contemplaba las mercaderías, vio un retrato en la cabina del propietario.

—¿De quién es ese retrato? —preguntó al hijo del mercader.

—Es el retrato de mi hermana, majestad.

—La verdad, señor mercader, es que nunca en mi vida había visto yo semejante belleza. Y dime, en verdad, cuál es su carácter y cuáles son sus costumbres.

—Es dulce y pura como una paloma.

—Entonces será zarina: quiero casarme con ella.

Por aquellos tiempos tenía el zar cerca de su persona a un general que era de lo más perverso y envidioso que se puede uno imaginar: cualquier cosa buena que le ocurriera a alguien se le clavaba a él como una espina. Conque, al escuchar aquellas palabras de su soberano, se puso furioso. «¿Es que nuestras esposas van a tener que hacerle la reverencia a una mercadera?», pensó. Y, sin más, se presentó al zar.

—Majestad —pidió—, dadme la venia para hablar.

—Di lo que sea.

—Esa hija de mercader no es pareja para vos. Yo la conozco hace tiempo y muchas veces he jugado a juegos amorosos con ella. Está totalmente pervertida.

—¿Cómo has osado decirme tú, mercader extranjero, que era dulce y pura como una paloma, que nunca hacía nada malo?

—Majestad: si no miente el general, haced que traiga el anillo de mi hermana con su nombre grabado y que descubra una seña suya particular.

—Está bien —concedió el zar, y le dio licencia al general—. Si no traes a tiempo el anillo y dices cuál es la seña particular, mi sable, de un tajo, echará tu cabeza abajo.

El general hizo sus preparativos y marchó a la ciudad donde vivía la hermana del mercader. Llegó, pero como no sabía qué ha-

cer, anduvo por las calles de un lado para otro muy triste y pensativo. En esto se cruzó con él una viejecilla que iba pidiendo limosna. Él le dio una moneda. Y preguntó la viejecilla:

—¿Por qué andas tan cabizbajo, señor?

—¿Para qué voy a contártelo si no podrás remediar mi apuro?

—¿Quién sabe? ¡Quizá pueda!

—¿Sabes tú dónde vive la hija del mercader?

—¡Claro que sí!

—Bueno, pues consígueme su anillo con el nombre grabado y entérate de una seña particular que tiene. Si lo haces, te recompensaré en oro.

La viejecilla se llegó renqueando hasta la casa de la hija del mercader, llamó al portón, entró en la sala, rezó una oración y, luego de contar que iba en peregrinación a los Santos Lugares, pidió una limosna. Tanto habló, y con tanta astucia que la linda doncella, sin darse cuenta siquiera, le reveló la seña particular que tenía. Entre unas cosas y otras, la viejecilla arrambló con el anillo que estaba encima de una mesita y lo escondió en una manga.

Luego se despidió de la muchacha y corrió donde le esperaba el general para entregarle el anillo.

—En cuanto a la seña particular —le dijo—, la hija del mercader tiene un cabello de oro bajo la axila izquierda.

El general la recompensó con largueza y emprendió el viaje de vuelta. Ya en su país, se presentó en palacio. El hijo del mercader también estaba allí.

—¿Qué? —preguntó el zar—. ¿Has traído el anillo?

—Aquí lo tenéis, majestad.

—¿Y cuál es la seña particular de la hija del mercader?

—Un cabello de oro debajo de la axila izquierda.

—¿Es eso cierto? —preguntó el zar al hijo del mercader.

—Exactamente, majestad.

—¿Y cómo has osado mentirme? Has cometido una falta por la que serás ejecutado.

—Señor y soberano: concededme una última gracia. Permitid que le escriba a mi hermana una carta para que venga a despedirse de mí.

—Está bien —concedió el zar—. Escribe la carta. Pero no esperaré mucho tiempo.

Aplazó la ejecución; pero, hasta entonces, ordenó ponerle grilletes al hijo del mercader y encerrarle en una mazmorra.

La hija del mercader se puso en camino en cuanto recibió y leyó la carta de su hermano. Durante el viaje iba tejiendo un guante de hilos de oro y llorando amargamente. Sus lágrimas, al caer, se convertían en brillantes que ella recogía y engarzaba en el guante. Pronto llegó a la capital; se hospedó en casa de una pobre viuda y preguntó:

—¿Qué novedades hay por la ciudad?

—Pues ninguna, como no sea que un mercader de otras tierras será ahorcado mañana por culpa de su hermana.

A la mañana siguiente se levantó la hija del mercader, alquiló una carroza, se puso un suntuoso vestido y se hizo conducir a la plaza. Allí se alzaba ya el cadalso, las tropas estaban emplazadas y se había juntado una gran multitud. Cuando vio que traían conducido a su hermano, la hija del mercader se apeó de la carroza y fue derecha al zar, presentándole el guante que había tejido durante el camino.

—Majestad —dijo—, ¿querrías apreciar lo que vale este guante?

—Un guante así no tiene precio —opinó el zar después de verlo.

—Pues bien: vuestro general estuvo en mi casa y robó uno igual: la pareja de este. Ordenad que se proceda a registrarle.

El zar llamó al general.

—Se te acusa de haber robado un valioso guante.

El general juraba y perjuraba que no sabía nada de aquel guante ni lo había visto nunca.

—¿Cómo que no? —exclamó la hija del mercader—. Tantas veces como has estado en mi casa, acostado conmigo y jugando a juegos amorosos...

—¡Pero si es la primera vez que te veo! Yo nunca he estado en tu casa ni sé, aunque me maten, quién eres ni de dónde vienes.

—Entonces, majestad, ¿por qué padece mi hermano?

—¿Qué hermano es ese? —preguntó el zar.

—Ese que han traído para ahorcarle.

De esta manera se descubrió todo. El zar ordenó que el hijo del mercader fuera puesto en libertad y se ahorcara al general.

En cuanto a él, subió en carroza con la linda doncella, hija del mercader, para ir a la iglesia, donde se desposaron. Luego dieron un gran festín y vivieron tan felices y en la abundancia, como siguen viviendo hasta ahora.

La zarina y el gusli*

En cierto reino, en cierto país, vivía un zar con su esposa. Vivió con ella mucho tiempo, hasta que se le ocurrió hacer un viaje a la tierra remota donde los judíos crucificaron a Jesús.

Dio sus órdenes a los ministros, se despidió de su esposa y emprendió el viaje. Al cabo del tiempo, no sé si mucho o poco, llegó a la tierra remota donde los judíos crucificaron a Jesús. Gobernaba aquella tierra un maldito rey. Cuando este rey vio al zar, mandó prenderle y encerrarle en una mazmorra. El maldito rey tenía muchos cautivos en sus mazmorras. Por las noches permanecían aherrojados, y por las mañanas los enganchaban al yugo para que arasen la tierra hasta el oscurecer.

Esta vida de sufrimientos padeció el zar durante tres años enteros sin encontrar el modo de escapar de allí ni hacerle conocer su paradero a la zarina. Finalmente, encontró ocasión de enviarle una carta. «Vende todos nuestros bienes —le decía en ella— y ven a pagar mi rescate».

Al recibo de la carta, la zarina se echó a llorar nada más leerla. «¿Cómo podría yo rescatar al zar? Si voy en persona y me ve el maldito rey, es capaz de tomarme como concubina. Y de los ministros no me fío para encomendarles esta comisión».

¿Y sabéis lo que se le ocurrió?

Pues cortó sus trenzas doradas, vistió traje de juglar y, con un *gusli* al hombro, emprendió aquel largo camino sin decir nada a nadie.

Así llegó a la corte del maldito rey y se puso a tocar el *gusli*, con tanto arte que cualquiera se hubiese pasado la vida entera escuchándola. El maldito rey, que oyó aquella melodía tan bella, ordenó llamar inmediatamente al músico.

—Hola, músico. ¿De qué tierra eres? ¿De qué reino? —quiso saber el rey.

Contestó el supuesto músico:

—Desde niño ando por el mundo, majestad, entreteniendo a la gente y ganándome así el sustento.

—Quédate aquí y vive en mi corte un par de días o tres. Te recompensaré con largueza.

El músico se quedó en la corte, pasándose el día entero tocando para el rey sin que este se cansara de escucharle. ¡Era tan hermosa la música! Hacía desaparecer como por ensalmo cualquier disgusto, cualquier pesar...

De esta manera pasó tres días el músico en la corte. Luego fue a despedirse del rey, que le preguntó:

—¿Qué pago quieres por tu música?

—Creo, señor, que podrías darme a uno de tus cautivos. Tú tienes muchos y yo necesito un compañero en mi caminar. Ando por muchos países lejanos, y a veces no tengo con quién intercambiar una palabra.

—Bueno, pues elige el que quieras —concedió el rey, y condujo al músico a las mazmorras.

El músico pasó revista a los cautivos, eligió al zar prisionero y juntos echaron a caminar. Estaban ya cerca de su reino cuando dijo el zar:

—Déjame libre, buen hombre. Ten en cuenta que yo no soy un simple cautivo, sino un zar. Pídeme el rescate que quieras, que no escatimaré nada: ni dinero ni campesinos.

—Ve con Dios —replicó el músico—. Yo no necesito nada de ti.

—Entra por lo menos a hospedarte en mi palacio.

—En otra ocasión.

De este modo se despidieron, y cada cual siguió su camino.

La zarina tomó un atajo, llegó a palacio antes que su esposo, y trocó las ropas de músico por su atuendo habitual. Al cabo de una hora, todos los cortesanos empezaron a correr de un lado para otro gritando que había regresado el zar.

La zarina corrió a su encuentro, pero él continuó saludando a todo el mundo y ni siquiera la miró a ella. También saludó a sus ministros, y entonces dijo:

—Señores: ya veis la esposa que tengo; ahora se echa en mis

brazos, pero nada hizo por mí cuando le escribí, estando cautivo, que vendiera todos nuestros bienes para pagar mi rescate. ¿En qué estaría pensando si se olvidó de su esposo?

Los ministros informaron entonces al zar:

—Majestad: el día mismo que recibió vuestra carta, la zarina desapareció y ha estado ausente todo este tiempo. Solamente hoy ha regresado a la corte.

Tremendamente indignado, el zar ordenó:

—Señores ministros: juzgad en verdad y justicia a mi esposa infiel. ¿Quién sabe por dónde anduvo rodando? ¿Por qué no quiso pagar mi rescate? Nunca en la vida habríais vuelto a ver a vuestro zar de no ser por cierto joven tocador de *gusli*, por quien rogaré constantemente a Dios, y a quien cederé la mitad de mi reino.

Entre tanto, la zarina había vuelto a vestirse de músico y entraba en la corte tocando el *gusli*. Apenas le oyó, el zar corrió a su encuentro, le tomó de la mano y le hizo entrar en el palacio diciendo a los cortesanos:

—Este es el músico que me rescató del cautiverio.

El músico se quitó entonces la ropa que llevaba sobre su vestido y todos reconocieron en seguida a la zarina.

El zar se alegró tanto, que organizó un gran festín y se pasó una semana entera de festejos.

Padre e hija

En cierto reino, que no era nuestro país, vivía un rico mercader. Su esposa era muy bella, pero la hija que tenían sobrepasaba incluso a su madre en hermosura. Llegado su día, la esposa del mercader cayó enferma y murió. El mercader lo sintió mucho, pero no pudo evitarlo. Conque la enterró, la lloró y padeció, pero luego empezó a fijarse en su hija. Y, presa de un amor impuro, le dijo:

—Quiero que peques conmigo.

Hecha un mar de lágrimas, la hija le rogó y le imploró mucho tiempo para que desechara semejante idea, pero el mercader no quiso ni oírla.

—Si no aceptas, te mataré ahora mismo —le dijo.

Finalmente la hizo pecar por la fuerza y desde ese mismo instante concibió con ella una criatura.

El mercader aquel tenía doce dependientes. Apenas advirtió que la hija estaba preñada, empezó a preguntarle:

—Escucha, hija querida: cuando des a luz, ¿a quién nombrarás como padre?

—¿A quién puedo nombrar? A ti y a nadie más.

—No, hijita, no me nombrarás a mí. Nombra mejor a uno de los dependientes.

—Pero, padre, ¿cómo voy a echar la culpa a un inocente?

Por mucho que insistió el mercader, ella seguía en sus trece. Y el tiempo iba pasando.

De repente, llegó un emisario del soberano.

—Te llama el zar.

Llegó el mercader a palacio.

—¿Qué ordena vuestra majestad?

—Quiero que fletes unos barcos y traigas mercaderías del más lejano de los países.

Al zar, como se sabe, hay que obedecerle. Aunque uno no lo desee, ha de ir adonde él mande. Conque el mercader ordenó que se hicieran todos los preparativos para la marcha. Mientras, fue a ver a su hija.

—Te lo pregunto por última vez: ¿a quién nombrarás cuando des a luz?

—¿A quién puedo nombrar? A ti y a nadie más.

El mercader empuñó un afilado sable que había en la pared y le cortó la cabeza. La sangre brotó como un surtidor. Luego agarró el cadáver, lo llevó al jardín y lo escondió en la cueva. En cuanto a él, montó en un barco y partió para el más lejano de los países.

En casa del mercader todo había quedado a cargo del dependiente principal. Conque la primera noche soñó que alguien le decía:

—¿Cómo puedes dormir? ¿No sabes nada de lo que ha ocurrido en la casa?

El dependiente se despertó, tomó las llaves y fue a inspeccionar los almacenes. Los había inspeccionado ya todos al parecer, pero aún quedaba una llave que no había encajado en ninguna cerradura. «Saldré a dar una vuelta por el jardín», se dijo.

Nada más asomar el dependiente al jardín, un ruiseñor que estaba posado en un arbusto rompió a cantar, y sus trinos eran igual que la palabra humana.

—Apuesto mancebo —decía—: acuérdate de mí que estoy aquí de cuerpo presente.

El dependiente empezó a rebuscar, hasta que a duras penas dio con la entrada de la cueva, oculta por la maleza y los árboles. Probó la llave sobrante, y encajó justamente en aquella cerradura. El dependiente abrió la puerta, entró en la cueva y encontró allí un ataúd con la muchacha acostada dentro. En torno ardían cirios de cera virgen y en las paredes resplandecían imágenes enmarcadas en oro. Y le dijo la hija del mercader desde su ataúd:

—Haz el favor de aliviarme, apuesto mancebo. Toma un sable y saca a la criatura que llevo en las entrañas.

El dependiente corrió en busca de un sable. Entró en la misma estancia donde el padre había matado a su hija y vio que crecían

flores en el suelo, allí donde había corrido la sangre. Agarró el sable, regresó al jardín, abrió las entrañas de la hija del mercader, sacó a la criatura y la llevó a casa de su madre para que la criara.

Transcurrió el tiempo, y al cabo regresó el mercader del más lejano de los países. Fue a informar al soberano de la marcha de sus asuntos, y en esto acudió a palacio un chiquillo que se puso a juguetear por allí.

—¿De quién es este niño tan guapo? —preguntó el zar.

—Es hijo de un dependiente mío.

Quiso conocer el zar a aquel dependiente. Le llamaron a palacio, y el dependiente lo refirió todo tal y como había ocurrido.

El zar ordenó fusilar al mercader, y al niño lo dejó en palacio, donde sigue viviendo cerca de la persona del soberano.

El soldado y el zar en el bosque

En cierto reino, en cierto país, vivía un campesino que tenía dos hijos. Llegó la época de entrar en quintas y fue reclutado el hijo mayor. Sirvió al soberano con tanto celo y tanta suerte que en pocos años alcanzó el grado de general. Por entonces hubo una nueva leva y le tocó servir al menor de los hermanos. Le cortaron el pelo al cero y fue a parar al regimiento que mandaba su hermano el general. El soldado intentó hacerse reconocer; pero, ¡quia! El general renegó de él a rajatabla:

—Ni tú me conoces ni yo sé quién eres.

Una vez, estaba el soldado de centinela en una garita próxima al domicilio del general cuando este daba precisamente un gran banquete, al que acudieron muchos oficiales y señores principales. Viendo el soldado cómo se divertían los demás mientras él estaba allí de centinela, rompió a llorar amargamente.

Los invitados empezaron a preguntarle:

—Escucha, soldado, ¿por qué lloras así?

—¿Cómo no voy a llorar cuando mi propio hermano da fiestas y se divierte sin acordarse de mí para nada?

Los invitados refirieron estas palabras al general, que se puso furioso.

—¿Cómo pueden creer las mentiras de ese imbécil? —exclamó.

Luego ordenó que relevaran al soldado y le dieran trescientos azotes para que aprendiera a no considerarse pariente suyo. Tanto le dolió aquella injusticia al soldado, que se puso el equipo de campaña y huyó del regimiento.

Al cabo de un tiempo —no sé si poco o mucho—, fue a parar a un bosque tan tupido y tenebroso que apenas penetraba nadie en él, y allí se quedó, alimentándose de bayas y raíces.

Poco después de estos sucesos, el zar salió un día de caza con un séquito numeroso. Galoparon por los campos, soltaron la jauría, hicieron sonar las trompetas y se lanzaron en busca de animales que cazar.

De pronto apareció un hermoso ciervo, que cruzó como una flecha por delante del zar y se zambulló en el río. Cuando alcanzó la orilla opuesta, se internó en el bosque. El zar también cruzó el río detrás de él y galopó a todo galope... Cuando quiso darse cuenta, el ciervo había desaparecido de su vista, los cazadores habían quedado muy atrás y él se encontraba en medio de un bosque frondoso y oscuro, sin saber hacia dónde dirigirse, pues no se veía ni el menor sendero.

Así anduvo rondando hasta el anochecer, y estaba ya rendido cuando tropezó con el soldado prófugo.

—Hola, buen hombre —le saludó el soldado—. ¿Cómo has venido a parar aquí?

—Pues nada: que salí de caza y me he extraviado en el bosque. ¿Podrías indicarme el camino para salir de aquí?

—¿Quién eres?

—Un servidor del zar.

—Como ya es de noche, mejor será que durmamos en cualquier barranco y mañana te acompañaré hasta el camino.

Partieron en busca de un sitio donde pernoctar y, anda que te anda, vieron una casita.

—¡Vaya! —exclamó el soldado—. Dios nos ha conducido a un albergue. Entremos aquí.

Entraron en la casita y encontraron dentro a una anciana.

—Buenas noches, abuela.

—Buenas noches, soldado.

—¿Puedes darnos algo de beber y de comer?

—¡Para mí lo quisiera! No tengo nada.

—Estás mintiendo, vieja del demonio —replicó el soldado.

Y, poniéndose a husmear en el horno y por los vasares, descubrió que la anciana tenía buenas reservas de vino y toda clase de víveres.

El soldado y el zar se sentaron a la mesa, cenaron a sus anchas y subieron luego al desván a dormir. Entonces dijo el soldado:

—Al que se ayuda, Dios le ayuda. Conque, mientras uno de nosotros descansa, el otro montará la guardia.

Echaron a suertes, y la primera guardia le tocó al zar. El soldado le dio su afilado machete y, apostándole junto a la puerta, le recomendó que no se durmiera y le despertase a él en cuanto sucediera algo. Luego se acostó, pero empezó a pensar: «¿Qué tal montará su guardia mi compañero? Quizá falle por la falta de costumbre. Estaré yo alerta».

El zar estuvo un rato apostado junto a la puerta y luego le entró sueño.

—¿Por qué te tambaleas? ¿Es que te quedas dormido? —gritó el soldado.

—No —contestó el zar.

—Bueno, pues abre el ojo.

El zar siguió apostado cosa de un cuarto de hora más y se quedó traspuesto otra vez.

—¡Eh, amigo! ¿Te has dormido?

—No. Ni pensarlo.

—Pues si te quedas dormido, no vengas luego con quejas.

El zar aguantó otro cuarto de hora hasta que se le doblaron las rodillas y se desplomó, quedándose dormido. El soldado se incorporó, agarró el machete y se puso a atizarle de plano mientras decía:

—¿Qué modo es este de montar la guardia? Yo he servido diez años, y mis superiores no me han perdonado ni una sola falta. Pero se conoce que a ti no te han enseñado nada. Se puede perdonar una falta a la primera, se puede perdonar a la segunda... Pero, a la tercera, hay que castigar. Ahora acuéstate tú, que yo me quedaré de guardia.

El zar se acostó a dormir, mientras el soldado hacía su guardia sin pegar un ojo. De pronto, entre gritos y silbidos*, llegaron unos bandoleros a aquella casita. La anciana salió a recibirlos y les dijo:

—Tenemos visita: se han quedado dos a pasar aquí la noche.

—¡Gran noticia, abuela! Nosotros nos hemos pasado la noche entera sin hacer la menor presa y resulta que la suerte se nos ha entrado sola por las puertas. Por lo pronto, danos de cenar primero.

—Pero si esos visitantes se lo han comido y se lo han bebido todo...

—¡Qué atrevimiento! ¿Y dónde están?

—Subieron al desván a dormir.

—Ahora mismo voy yo a darles su merecido —dijo uno de los bandoleros y, empuñando un gran cuchillo, trepó al desván.

Apenas el bandolero asomó la cabeza por la puerta del desván, el soldado descargó su machete y la cabeza salió rodando. El soldado metió el cuerpo dentro del desván y aguardó a ver lo que pasaba.

Los bandoleros esperaron un rato y luego se preguntaron:

—¿Por qué tardará tanto?

Mandaron a otro, y también a ese lo mató el soldado. De esta manera, en poco tiempo terminó con todos los bandoleros.

El zar se despertó al amanecer y preguntó, viendo los cadáveres:

—Oye, soldado, ¿dónde nos hemos metido?

El soldado se lo contó todo. Luego bajaron del desván y el soldado le gritó a la vieja:

—Aguarda, vieja del demonio, que me las vas a pagar todas. Conque ayudando a los bandoleros, ¿eh? Venga todo el dinero ahora mismo.

La vieja abrió un baúl lleno de oro. El soldado llenó su mochila hasta arriba, se llenó también los bolsillos y le dijo a su compañero:

—¡Haz tú lo mismo!

—No, hermano —contestó el zar—; no hace falta. Nuestro zar tiene dinero de sobra y, teniéndolo él, también lo tendremos nosotros.

—¡Allá tú! —replicó el soldado, y luego le guio por el bosque hasta el gran camino.

—Sigue por aquí —le dijo—, y dentro de una hora estarás en la ciudad.

—Adiós y gracias por el favor —se despidió el zar—. Ven a verme y tendrás tu suerte asegurada.

—¡Déjate de cuentos! Soy un prófugo y, si asomo por la ciudad, me arrestarán al instante.

—No dudes de lo que te digo, soldado. El zar me estima mucho y si yo se lo pido y además le cuento lo valiente que eres, no solo te perdonará, sino que además te dará una recompensa.

—¿Y dónde puedo encontrarte?

—No tienes más que ir a palacio.

—Bueno, pues mañana iré.

El zar se despidió del soldado y echó a andar por el gran camino. Nada más llegar a su ciudad mandó una orden a todas las puertas, los retenes y los cuerpos de guardia diciendo que estuvieran alertas y, en cuanto apareciera un soldado de tales y tales señas, le rindieran honores de general.

Al día siguiente, no hizo más que asomar el soldado por una puerta, cuando el cuerpo de guardia entero salió a formar y le rindió honores de general. Muy sorprendido, preguntó el soldado:

—¿A quién rendís esos honores?

—A ti, soldado.

El soldado sacó un puñado de oro de su mochila y se lo dio para que bebieran a su salud. Siguió andando por la ciudad, y a cada paso le saludaban los centinelas. Conque no paraba de repartir dinero.

—¡Menudo charlatán es ese servidor del zar! —se dijo—. Ya le ha contado a todo el mundo que tengo mucho dinero.

Llegó al palacio, donde estaban ya formadas las tropas, y el soberano salió a recibirle con el mismo atuendo que llevaba el día de la caza. Sólo entonces comprendió el soldado con quién había pasado aquella noche en el bosque, y se llevó el gran susto. «¡Pero si es el zar y yo le aticé con el machete como a cualquiera de los nuestros!», pensó.

El zar le tomó de la mano y, delante de todas las tropas, le dio las gracias por haberle salvado y le nombró general.

En cuanto al hermano mayor, el zar le degradó a soldado raso para que aprendiera a no renegar de sus parientes y deudos.

El soldado y el bandolero

É ranse un hombre y una mujer. El hombre se dedicaba a asaltar a la gente por los caminos, y su mujer le ayudaba. Un día que se marchó él a robar como siempre, la mujer se quedó sola en casa. Precisamente entonces pasaba por la aldea un soldado.

Llamó a la ventana pidiendo:

—¿Podría pasar aquí la noche, buena mujer?

—Pasa.

El soldado entró en la casa, se quitó la mochila y se acostó. Al poco rato volvió el marido. Al ver al soldado, dijo:

—Gracias a Dios, se ha entrado por la puerta lo que no he encontrado en el gran camino.

Se sentó a cenar y le mandó a la mujer:

—Despierta al soldado. Quiero que cene conmigo.

Conque el soldado se sentó a la mesa. El hombre le sirvió un vaso de vino, que él se bebió, luego le sirvió otro que también se bebió, pero al tercero se negó a seguir bebiendo.

—¡Déjate de artimañas! Bebas o no bebas, de todas formas morirás —advirtió el hombre.

Luego sacó un hacha de debajo de la mesa y dijo:

—Encomiéndate a Dios, soldado, porque poco te queda de vida.

El soldado se puso a pedir y a suplicar casi de rodillas que no lo matara, pero el otro no se ablandaba. Entonces cayó de hinojos ante

74

los santos iconos y empezó a rezar con gran celo y devoción, arrepintiéndose de todos sus pecados.

—Termina de rezar, que ya es hora.

Pero el soldado continuaba con sus oraciones.

Alguien golpeó de pronto en la ventana, y una voz desconocida gritó:

—¡Eh, soldado! ¿Por qué tardas tanto? Llevo mucho tiempo esperándote.

El hombre soltó el hacha del susto. Entonces el soldado se puso la mochila, salió al porche, donde encontró una carreta tirada por tres recios caballos que arrancaron en cuanto subió él y, en nada de tiempo, lo dejaron delante de la casa de su padre. Carreta y caballos desaparecieron entonces como por ensalmo.

El soldado dio las gracias a Dios por haberle salvado. Entró en la casa. El padre y la madre se llevaron una gran alegría al verle. Todo se les hacía poco para agasajarle.

Llevaba dos días el soldado en casa de sus padres cuando, al tercero, llegó el mismo hombre que había querido matarle. Resultó que aquel bandolero estaba casado con una hermana del soldado, pero este no lo sabía ni ella le había reconocido.

La madre puso en seguida la mesa, empezaron a comer, a beber... Pero el bandolero comprendió que las cosas se ponían feas para él y no probaba la bebida que le ofrecía el soldado. Entonces dijo este:

—Bebas o no bebas, de todas formas morirás.

—¡Por Dios santo, hijo! ¿A qué vienen esas amenazas? —le reprendieron el padre y la madre.

El soldado les refirió todo lo ocurrido. Entonces agarraron al bandolero, le pusieron grilletes y lo mandaron a la cárcel.

Los bandoleros

Éranse un pope y su mujer que tenían una hija llamada Alió-nushka. Un día en que debía celebrar una boda en otro pue-blo, el pope se dispuso a ir con su mujer, dejando a la hija so-la en casa.

—Me da miedo quedarme sola —le dijo Aliónushka a su madre.

—Pues llama a tus amigas y que pasen la velada contigo.

Cuando el pope y su mujer se marcharon, Aliónushka llamó a sus amigas. Vinieron muchas, cada una con su labor. Unas hacían punto, otras tejían cestillos o hilaban.

Una de las muchachas dejó escapar el huso, que echó a rodar y cayó a la cueva por una rendija. La muchacha bajó a buscarlo y allí descubrió, detrás de una cuba, a un bandolero que la amenazaba con el dedo:

—Si quieres quedar con vida, no se te ocurra contarle a nadie que estoy aquí.

Salió la muchacha de la cueva, lívida de puro pálida, y se lo contó al oído a una de sus amigas. Esta se lo contó a otra, la otra a una tercera, hasta que todas, asustadísimas, se dispusieron a volver a sus casas.

—¡Si es muy pronto! Quedaos otro poco —les pedía Aliónushka.

Pero la una que si debía ir por agua, la otra que si tenía que lle-varle una pieza de lienzo a la vecina..., el caso es que todas se fue-ron. Aliónushka se quedó sola.

Cuando el bandolero advirtió que todo estaba en silencio, salió de la cueva y le dijo:

—Hola, muchacha hermosa, tan limpia y hacendosa.

—Hola —contestó Aliónushka.

El bandolero husmeó por toda la casa y aun salió al patio para ver si encontraba algo más. Entonces Aliónushka cerró en seguida la puerta y apagó la luz. El bandolero volvió a la casa.

—Déjame entrar o te mataré —gritó.

—No. Si quieres, entras por la ventana —contestó Aliónushka y empuñó un hacha.

En cuanto el bandolero asomó la cabeza por la ventana, ella se la cortó de un hachazo. Luego pensó: «Ya estarán al llegar los otros bandoleros. ¿Qué haría yo?». Conque agarró la cabeza y la metió en un saco. Luego tiró del cuerpo, lo descuartizó y fue metiendo los pedazos en sacos y en orzas.

Al rato llegaron los demás bandoleros y, pensando que su compañero estaba vivo, preguntaron desde fuera:

—¿Has terminado ya?

—Sí —contestó Aliónushka imitando la voz del bandolero—. Ahí van dos sacos de dinero, una orza de manteca y unos jamones.

Y fue pasando por la ventana los sacos y las orzas que había preparado y que los bandoleros cargaron en un carro.

—¡Vámonos ya! —dijeron.

—Id por delante —contestó Aliónushka—, mientras yo veo si queda algo más.

Los bandoleros se marcharon.

A primera hora de la mañana volvieron de la boda el pope y su mujer. Aliónushka les refirió todo lo ocurrido.

—Yo sola he vencido a los bandoleros —terminó.

Mientras, los bandoleros llegaron a su guardia y se quedaron de una pieza al ver el contenido de los sacos y las orzas.

—¡La muy tal y tal...! Bueno, pues ahora lo va a pagar.

Todos se vistieron muy bien y fueron a casa del pope a pedirle la mano de Aliónushka como si fuera para un bobalicón que andaba con ellos y al que también vistieron igual que si se tratara del novio.

Pero Aliónushka los reconoció por la voz.

—*Bátiushka* —le dijo a su padre—, estos son los bandoleros que vinieron la otra vez.

—¡Qué disparate! —objetó el pope—. ¡Tan bien vestidos como van!

Porque él estaba encantado de que gente de tan buena apariencia hubiera venido a pedir la mano de su hija sin exigirle dote. Por mucho que lloró Aliónushka, de nada sirvió.

—Si no aceptas este casamiento, te echaremos de casa —le dijeron sus padres.

Conque concedieron su mano al bandolero bobalicón y celebraron la boda con gran pompa.

Los bandoleros se marcharon después, llevándose a Aliónushka, y nada más entrar en el bosque dijeron:

—¿La matamos aquí?

Pero el bobalicón protestó:

—Dejadla que viva aunque solo sea un día para que yo pueda verla.

—¿Y qué falta te hace verla?

—Os lo pido por favor, hermanos.

Los bandoleros consintieron y siguieron adelante con Aliónushka, hasta llegar a su guarida, donde se pusieron a beber y a divertirse. Luego dijeron:

—Bueno, ya es hora de acabar con ella.

Y el bobalicón otra vez:

—Dejadme que pase por lo menos una nochecita con ella...

—Es capaz de escaparse, so bobo.

—Os lo pido por favor, hermanos.

Los bandoleros accedieron también esa vez y los dejaron en un cuarto apartado. Entonces le dijo Aliónushka a su marido:

—Déjame salir al patio a refrescarme un poco.

—¿Y si te oyen?

—No haré ruido. Déjame salir, aunque sea por la ventana.

—Yo te dejaría; ¿pero y si te escapas?

—Pues átame. Precisamente tengo una pieza de lienzo que me ha dado mi madre. Átame con ella por la cintura y déjame salir; luego, cuando tires, volveré a entrar por la ventana.

El bobalicón la ató por la cintura, ella salió por la ventana, se desató en seguida, ató en su lugar a una cabra por los cuernos y al poco rato dijo:

—Tira ahora.

Y echó a correr. El bobalicón tiró del lienzo, y la cabra empezó «beee... beee...». Y a cada tirón, la cabra igual: «beee... beee...».

—¿Pero por qué balas? —preguntó el novio—. Como te oigan los otros, te matarán sin más.

Siguió tirando y se encontró con la cabra atada al lienzo. Todo asustado, el bobalicón no sabía qué hacer.

—¡Maldita sea! Me ha engañado.

Por la mañana entraron los bandoleros en la estancia.

—¿Y la recién casada? —preguntaron.

—Se ha marchado.

—¡Tonto, más que tonto! Bien te lo advertimos. Pero tú...

Montaron a caballo y partieron al galope detrás de Aliónushka con perros que ladraban, disparando ellos al aire, silbando... ¡Un espanto! Aliónushka, que los oyó, se metió en el agujero de un roble seco y allí se estuvo, quietecita, más muerta que viva, mientras los perros olisqueaban alrededor del árbol.

—¿Estará ahí escondida? —le dijo un bandolero a otro—. Clava el cuchillo a ver, hermano.

El otro bandolero metió su cuchillo en el agujero y le atinó a Aliónushka en una rodilla. Pero ella, que era muy lista, agarró su pañuelo y limpió la hoja con él. Cuando el bandolero vio que su cuchillo no estaba manchado, dijo:

—No, no hay nadie.

Y reanudaron su carrera en distintas direcciones, entre silbidos y gritos.

Cuando Aliónushka notó que todo estaba en calma, salió de su agujero y echó a correr. Iba corriendo a todo correr, cuando oyó de nuevo a sus perseguidores. Pero por el camino iba un hombre conduciendo un carro lleno de artesas.

—Buen hombre —le pidió Aliónushka—, escóndeme debajo de una artesa.

—Se te manchará la ropa tan linda que llevas.

—No importa. Escóndeme, por favor. Me vienen persiguiendo unos bandoleros.

El hombre descargó todas las artesas, la escondió debajo de la que quedaba en el fondo y volvió a cargarlas. No había hecho más que terminar cuando aparecieron los bandoleros.

—¿Has visto por aquí a una mujer?

—No, muchachos; no he visto a nadie.

—¡Mentira! Descarga las artesas.

Empezó el hombre a descargar las artesas hasta que solo quedó una.

—Es inútil buscar aquí, muchachos. Sigamos adelante —dijeron los bandoleros, y reanudaron su galope entre gritos, silbidos y disparos.

—Déjame salir de aquí, buen hombre —pidió Aliónushka cuando notó que todo estaba en calma.

El hombre la dejó salir y ella reanudó su carrera. Iba corriendo a todo correr, cuando oyó de nuevo a sus perseguidores. Pero por el camino iba un hombre conduciendo un carro lleno de pieles curtidas.

—Buen hombre —rogó Aliónushka—, escóndeme debajo de las pieles. Me persiguen unos bandoleros.

—Se te manchará la ropa tan linda que llevas.

—No importa. Tú escóndeme.

El hombre descargó las pieles, escondió a Aliónushka debajo de la última y volvió a cargarlas todas. No había hecho más que terminar cuando aparecieron los bandoleros.

—¿Has visto por aquí a una mujer?

—No, muchachos.

—¡Mentira! Descarga las pieles.

—Pero, muchachos, ¿cómo queréis que tire al suelo las pieles?

Los bandoleros se lanzaron a hacerlo ellos mismos y las arrojaron casi todas. Solo quedaron dos o tres.

—Es inútil buscar aquí. Sigamos adelante —dijeron entonces, y reanudaron su galope entre gritos, silbidos y disparos.

Cuando no se oyó más ruido ni estrépito, rogó la muchacha:

—Déjame salir de aquí, buen hombre.

El hombre la ayudó a salir y ella reanudó su carrera. Corriendo a todo correr llegó a su casa cuando era ya medianoche y se acostó en una hacina, donde se quedó dormida bien escondida.

Amaneció. Fue el pope a echarles comida a las vacas, pero en cuanto clavó la horquilla en la hacina, Aliónushka tiró de ella con las manos.

—¡*Vade retro!* ¡Dios me ampare! —exclamó el pope santiguándose todo espantado, y luego preguntó—: ¿Quién está ahí dentro?

Al reconocer la voz de su padre, Aliónushka salió de entre la paja.

—¿Cómo estás aquí?

—Pues porque los que vinieron a pedir mi mano eran unos bandoleros. Han querido matarme, pero yo me escapé.

Y refirió todo lo que había padecido.

Al cabo de un rato también se presentaron allí los bandoleros. Pero el pope escondió a Aliónushka.

—Y mi hija, ¿cómo se encuentra? —les preguntó.

—Bien, a Dios gracias. Se ha quedado atendiendo los quehaceres de la casa —contestaron los bandoleros y allí se instalaron como si hubieran ido de visita.

El pope, entre tanto, llamó a unos soldados, hizo salir a Aliónushka de su escondite y preguntó:

—¿Qué me decís de esto?

Los bandoleros fueron entonces detenidos, maniatados y conducidos a la cárcel.

La princesa y los bandoleros

É ranse un rey y una reina que tenían una hija muy linda. Tenía doce pretendientes, pero resulta que esos pretendientes eran todos bandoleros.

Estos bandoleros le pidieron que fuera a verlos una vez ricamente ataviada. Conque un día, sin que su padre lo supiera, ella se atavió y fue por el camino que le habían dicho.

Anda que te anda por el bosque, se encontró con un palacio. Entró en el palacio y en la primera estancia vio barriles de sangre humana; la segunda estaba llena de cabezas, piernas y brazos humanos; la tercera, llena de cuerpos humanos; la cuarta, llena de botas y chapines; la quinta, llena de prendas de vestir y piezas de tela; la sexta y la séptima, llenas de plata y de brillantes. En cuanto a la octava, era donde vivían los bandoleros.

Anduvo recorriendo todas las estancias hasta que oyó ruido y se escondió debajo de una cama. Estaba allí escondida, cuando llegaron aquellos doce bandoleros trayendo a una doncella muy hermosa y ricamente ataviada. La despojaron de toda su ropa, la acostaron sobre un potro y la degollaron. Luego empezaron a quitarle los anillos de los dedos. Pero había uno que no conseguían quitarle.

Uno de los bandoleros pidió que le dejaran a él aquel anillo.

—Que sea para ti —dijeron los otros.

Él agarró su cuchillo, y pegó un tajo con tanta fuerza que el dedo y el anillo fueron a rodar bajo la cama, allí donde se había escondido la princesa.

El bandolero se agachó y tanteó debajo de la cama, buscando el anillo; pero como había poca luz, no pudo encontrarlo y dejó la búsqueda para la mañana siguiente.

La princesa estuvo a punto de desmayarse al oírles hablar luego. Porque dijeron que pensaban atraer también hasta allí a la princesa ricamente ataviada para matarla.

Los bandoleros estuvieron mucho tiempo comiendo, bebiendo y divirtiéndose. Pero al llegar la medianoche, todos se marcharon, unos al bosque, otros a un camino, otros a otro y los demás por distintos lugares.

Así que se fueron todos, la princesa salió de debajo de la cama y volvió a su casa, donde se acostó tranquilamente sin decirle a nadie lo que había visto.

A la mañana siguiente la princesa se lo refirió todo a su padre, que, naturalmente, hizo el propósito de apresar a los bandoleros.

Aquel mismo día vinieron los bandoleros a almorzar con el rey. Después de charlar un rato, se sentaron a la mesa. En cuanto sirvieron la comida empezó a contar la princesa:

—Esta noche he soñado que había ido a visitaros. Fui por el camino que vosotros me indicasteis hasta que me encontré delante de un palacio. Entré en el palacio y en la primera estancia vi barriles de sangre humana; en la segunda, barriles con cabezas, piernas y brazos humanos; en la tercera, cuerpos humanos; en la cuarta, botas y chapines; en la quinta, prendas de vestir y piezas de tela; en la sexta, plata y brillantes... Luego oí ruido y me escondí debajo de una cama. Allí estuve hasta que entraron doce hombres con una doncella muy hermosa y ricamente ataviada. La acostaron sobre un potro y la degollaron. Luego le quitaron los anillos de los dedos, pero había uno que no conseguían quitarle. Conque uno de los bandoleros dijo que le cedieran aquel anillo y él lo quitaría del dedo. Los demás se lo cedieron y él cortó el dedo con el anillo. El dedo fue a rodar bajo la cama, allí donde yo estaba escondida.

Mientras hablaba la princesa, los bandoleros se habían puesto como la grana, comprendiendo que ella había estado en su guarida y lo había visto todo. La princesa sacó luego de su escarcela el anillo con el dedo y dijo:

—Lo que acabo de contar no ha sido un sueño. Es la verdad.

Viendo que las cosas se ponían feas, los bandoleros se levantaron de la mesa y echaron a correr, tirándose por las ventanas. Pero había ya gente apostada que los apresó, los maniató y los condujo a la cárcel.

El rey mandó en seguida montar unos postes de hierro para ahorcar a los doce bandoleros.

En cuanto a la princesa, se casó con un gran príncipe. La boda fue fastuosa. Después de la boda fueron al palacio donde habían vivido los bandoleros, se hicieron con todas sus riquezas y, al volver, dieron un baile donde estuve yo también, bebí cerveza, bebí hidromiel y todo me corrió por el bigote, pero no me entró nada en el gañote.

La discreta doncella y los siete bandoleros

Érase un campesino que tenía dos hijos. El menor estaba fuera y el mayor en casa de su padre. Cuando vio que le llegaba su hora, el campesino se lo dejó todo al hijo que estaba en casa y nada al otro, pensando que se lo repartirían como buenos hermanos.

Muerto el padre, el hermano mayor lo enterró y se quedó con toda la herencia. Cuando regresó el menor, lloró amargamente porque no había visto por última vez a su padre en vida.

—El padre me lo ha dejado a mí todo —le dijo el mayor.

Y el caso es que ni siquiera tenía hijos, mientras que el menor tenía un hijo propio y una niña recogida.

De manera que el mayor recibió toda la herencia y, ya enriquecido, se dedicó a comerciar en costosas mercaderías. El menor, en cambio, vivía pobremente, vendiendo en el mercado la leña que él mismo cortaba en el bosque. Compadecidos de su pobreza, los vecinos reunieron dinero y se lo ofrecieron para que comerciara, aunque fuese en cosas pequeñas. Pero el pobre no se atrevió a aceptarlo.

—Gracias, buenas gentes, pero no puedo aceptar vuestro dinero. Si por desgracia me fuera mal el negocio, ¿cómo iba a pagaros la deuda?

Conque dos de los vecinos se concertaron para darle de todas formas dinero con alguna artimaña. Una vez que fue el pobre a cortar leña, uno de ellos se hizo el encontradizo y le dijo:

—Hermano, he salido para un largo viaje y por el camino me he encontrado con uno que me debía trescientos rublos y me los ha devuelto. Ahora no sé qué hacer con ellos. Como no quisiera volver a casa, haz el favor de cogerlos tú y guardármelos, aunque lo mejor será que los emplees tú para comerciar. Yo tardaré en regresar. Luego irás pagándome poco a poco.

El pobre cogió, pues, el dinero y lo llevó a su casa, pero muy preocupado por si lo perdía o su mujer lo encontraba y lo gastaba pensando que era suyo. Cavila que te cavila, acabó escondiéndolo en la artesa de la ceniza* y se marchó a sus quehaceres. En esto pasaron por allí unos de esos hombres que van recogiendo ceniza a cambio de diferentes artículos, y la mujer les dio la artesa de la ceniza.

De vuelta a su casa, vio el marido que faltaba la artesa y preguntó:

—¿Dónde está la ceniza?

—Se la he cambiado a los que suelen venir recogiéndola —contestó la mujer.

El hombre se sobresaltó y se llevó un gran disgusto, pero no dijo nada. La mujer, que le vio tan pesaroso, empezó a preguntarle:

—¿Qué te ocurre? ¿Te ha pasado algo? ¿Por qué estás tan abatido?

Y él terminó por confesar que había escondido un dinero ajeno entre la ceniza. La mujer se puso por las nubes.

—¿Cómo no me lo confiaste? —decía llorando, toda furiosa—. Yo lo habría escondido mejor.

De nuevo marchó el hombre a cortar leña para venderla en el mercado y comprar luego pan. Entonces se hizo el encontradizo el otro vecino, le contó una historia parecida y le dio a guardar quinientos rublos. El pobre no quería aceptarlos, se negaba, pero el vecino le puso el dinero en la mano a la fuerza y partió al galope. El dinero estaba en billetes. Después de pensar mucho dónde podría guardarlo, el pobre acabó por meterlo entre el forro y la tela del gorro.

Llegó al bosque, colgó el gorro en la rama de un abeto y se puso a cortar leña. Por desgracia, pasó un cuervo volando y se llevó el gorro con el dinero dentro. El hombre tuvo un gran disgusto; ¿pero qué podía hacer? Siguió como antes, vendiendo leña y alguna otra cosilla, pero con lo justo para salir adelante. Viendo los vecinos que había transcurrido bastante tiempo y la situación del pobre no mejoraba, le preguntaron:

—¿Cómo te van tan mal los negocios, hermano? ¿O es que no te atreves a gastar nuestro dinero? En ese caso, mejor será que nos lo devuelvas.

El pobre se echó a llorar y les contó cómo había desaparecido el dinero que le prestaron. Los vecinos no se creyeron la historia y presentaron querella contra él.

—No sé cómo salir de este asunto —se decía el juez—. Se trata de un buen hombre, tan pobre que ni se le puede embargar nada. Si además va a parar a la cárcel, acabará muriéndose de hambre.

Así estaba el juez, pensativo y cabizbajo junto a la ventana, mientras unos chiquillos jugaban allí cerca. Uno de ellos, el más despabilado, dijo:

—Vamos a jugar a que yo era el burgomaestre y vosotros veníais a que yo juzgara vuestros pleitos.

Se sentó encima de una piedra y entonces se acercó otro chico, que le saludó respetuosamente y dijo:

—Yo le he prestado dinero a este hombre, y él no me lo devuelve. Conque he venido a denunciarle, excelencia.

—¿Es cierto que tomaste dinero prestado? —preguntó el burgomaestre al demandado.

—Sí.

—¿Y por qué no lo devuelves?

—Porque no lo tengo.

—Escucha, demandante: él no niega que haya tomado ese dinero prestado. Lo que ocurre es que no puede devolverlo ahora. Concédele unos años de plazo, cinco o seis, para que se enderecen sus negocios y te lo devuelva con creces. ¿Estáis de acuerdo?

Los dos chicos se inclinaron delante del burgomaestre.

—Gracias, *bátiushka* —dijeron—. Estamos de acuerdo.

El juez, que lo había oído todo, se dijo muy contento: «Ese chiquillo me ha dado la solución. Diré a los demandantes que le concedan un plazo mayor al pobre». Atendiendo sus razones, los vecinos ricos accedieron efectivamente a esperar un par de años o tres mientras se arreglaban un poco los asuntos del pobre hombre.

De manera que el pobre volvió al bosque a cortar leña. Anocheció cuando sólo había cargado medio carro y decidió quedarse a pasar la noche en el bosque para volver por la mañana a su casa con el carro lleno. Y se puso a pensar: «¿Dónde dormiría yo? Este es un lugar apartado, hay muchos animales feroces. Podrían devorarme si me acuesto cerca del caballo». Conque se adentró en la espesura y trepó a un abeto muy grande.

Por la noche se presentaron en aquel mismo sitio siete bandoleros que dijeron: «Puerta, puertecita, déjanos entrar», y al instante se abrió la puerta de un subterráneo. Los bandoleros metieron en el subterráneo toda la presa que traían; dijeron luego: «Puerta, puertecita, ciérrate detrás», la puerta se cerró y ellos partieron a continuar con sus asaltos.

El pobre hombre, que había visto todo aquello, esperó a que todo quedara en silencio y bajó del árbol pensando: «¿Se abriría la puerta si probara yo?». En efecto, le bastó repetir las palabras de los bandoleros para que la puerta se abriera sola.

Entró en el subterráneo y encontró montones de oro, de plata y otras muchas cosas. Muy contento, en cuanto amaneció empezó a sacar de allí sacos de dinero. Echó abajo la leña del carro, lo cargó de plata y oro y en seguida marchó a su casa.

—¡Marido, marido mío! —exclamó la mujer al verle—. Ya estaba yo consumida de dolor pensando dónde estarías, si te habría aplastado un árbol o te habría devorado algún animal.

Pero el marido contestó muy contento:

—No tengas pena, mujer. Dios nos ha hecho felices. He encontrado un tesoro. Ayúdame a traer los sacos.

Cuando descargaron los sacos, el hermano menor fue a ver al rico, le contó todo lo sucedido y le invitó a ir con él en busca de la suerte. El otro aceptó encantado. Llegaron juntos al bosque, encontraron el abeto, gritaron: «Puerta, puertecita, déjanos entrar», y la puerta se abrió.

Empezaron a sacar sacos de dinero. El hermano pobre llenó su carro y se conformó; pero al rico todo le parecía poco.

—Ve tú —le dijo al menor—, y pronto te seguiré yo.

—Bueno. Que no se te olvide decir: «Puerta, puertecita, ciérrate detrás».

—No se me olvidará, no.

El hermano pobre se marchó, pero el rico no encontraba el momento de alejarse de aquellos tesoros: no podía llevárselo todo y le daba lástima abandonarlo. De esta manera le sorprendió allí la noche.

Llegaron los bandoleros, lo encontraron en el subterráneo y le cortaron la cabeza. Echaron abajo los sacos que había cargado en su carro, colocaron el cadáver en su lugar, arrearon al caballo y le dejaron que siguiera su querencia. El caballo escapó del bosque y condujo el carro a casa de su amo.

Entre tanto, el jefe de los bandoleros se puso a regañar al que había matado al hermano rico.

—¿Por qué te has precipitado de esa manera? Teníamos que habernos enterado primero de dónde vivía. Aquí faltan muchas riquezas. Se las habrá llevado él. ¿Cómo vamos a encontrarlas ahora?

Uno de sus ayudantes sugirió:

—El que mató al hombre, que busque ahora la casa donde vivía.

Al poco tiempo, el bandolero que había matado al rico empezó a buscar la pista de sus riquezas. De esta manera llegó a la tienda del hermano pobre. Entre unas cosas y otras, mientras compraba y regateaba, se dio cuenta de que el comerciante estaba triste y pensativo.

—¿Por qué estás tan abatido? —preguntó.

—Pues porque me ha sucedido una gran desgracia. Yo tenía un hermano mayor y alguien le mató. Hace tres días el caballo le trajo a casa en el carro con la cabeza cortada y hoy le han enterrado.

El bandolero notó que había dado con la pista y siguió haciendo preguntas como si estuviera muy condolido. Se enteró de que el muerto dejaba mujer viuda y quiso saber:

—Y la desdichada ¿tiene por lo menos un techo que la cobije?

—Sí. Una casa muy hermosa.

—¿Está lejos de aquí?

El hombre le indicó dónde estaba la casa del hermano mayor. El bandolero hizo entonces una señal con pintura roja en el portón.

—¿Para qué es eso? —preguntó el hermano menor.

—Pues para reconocer la casa y ayudar en algo a la pobre mujer.

—¡Eh, muchacho! Mi cuñada no necesita ayuda. A Dios gracias, de todo tiene de sobra.

—¿Y tú dónde vives?

—Aquí tienes mi isba*.

El bandolero hizo también una señal idéntica en su portón.

—¿Y esto, para qué es?

—Me agrada tu modo de ser y me gustaría hospedarme en tu casa cuando pase por aquí. Por tu propio bien, te lo aseguro, muchacho —explicó el bandolero.

Así que se reunió con el resto de la partida, el bandolero contó todo lo que había descubierto. Decidieron que aquella noche irían a matar a todos cuantos vivían en ambas casas y a recuperar sus riquezas.

El pobre llegó a su casa y se puso a contar:

—Acabo de conocer a un buen mozo que luego me ha acompañado hasta aquí y ha hecho una señal en el portón porque dice que siempre vendrá a hospedarse a esta casa. ¡Es tan bondadoso! Ha sentido mucho la muerte de mi hermano. ¡Y tenía tanto empeño en ayudar a mi cuñada...!

La mujer y el hijo le escuchaban tan tranquilos, pero la hija adoptiva le dijo:

—¿No estarás equivocado, *bátiushka*? ¿De verdad será todo así? ¿Y si los bandoleros mataron al tío y ahora nos buscan porque han echado en falta sus riquezas? Son capaces de presentarse aquí, matarnos y llevárselo todo.

El hombre se asustó:

—Pues no tendría nada de particular. Lo cierto es que nunca le había visto yo antes. ¡Estamos perdidos! ¿Qué podríamos hacer?

De nuevo habló la hija:

—Coge tú ahora pintura, *bátiushka*, y marca con la misma señal los portones de todos los contornos.

El hombre así lo hizo, marcando los portones de todos los contornos. Cuando llegaron los bandoleros, no pudieron encontrar los portones que buscaban. Volvieron a su guarida y le pegaron una paliza al primero por no haber hecho bien su trabajo. Finalmente, comprendiendo que habían dado con un hombre astuto, agarraron siete toneles y llenaron uno de aceite mientras en los seis restantes se escondían seis bandoleros.

El primero que había estado en el pueblo se presentó un atardecer en casa del pobre con sus siete toneles y le pidió albergue para pasar la noche. El hombre le dejó entrar, puesto que ya le conocía.

Pero la hija salió al patio y se puso a inspeccionar los toneles. Abrió uno, y lo encontró lleno de aceite. Quiso abrir otro, pero no lo consiguió. Entonces pegó el oído y oyó que algo respiraba y rebullía dentro. «Aquí pasa algo raro», pensó. Conque entró en la casa y dijo:

—*Bátiushka*, ¿qué podríamos ofrecer a nuestro invitado? Si te parece, encenderé la estufa en la isba de atrás y prepararé algo de cena.

—Está bien, hija.

La muchacha encendió la estufa y, mientras cocinaba, puso agua a hervir y la fue vertiendo en los toneles. Así achicharró a todos los bandoleros.

Mientras el padre y su invitado cenaban, la hija continuó acechando en la isba de atrás a ver qué ocurría. Conque, cuando los demás se durmieron, salió el visitante al patio y lanzó un silbido, pero nadie respondió. Se acercó a los toneles, llamó a sus compañeros... Como si tal cosa. Abrió los toneles y empezó a salir vapor de ellos. El bandolero comprendió lo que había sucedido y, enganchando los caballos al carro, escapó del patio con sus toneles.

La hija cerró el portón y despertó a los demás para contarles lo sucedido.

—Hija mía —dijo el padre—, nos has salvado la vida. Quisiera que fueras la esposa de mi hijo.

En seguida se celebró la boda con gran alborozo.

Pero la recién casada no hacía más que repetirle a su padre adoptivo que vendiera su vieja casa y comprara otra, pues tenía mucho miedo a los bandoleros, no se les fuera a ocurrir en mala hora volver por allí.

Y así sucedió. Al cabo de algún tiempo, el mismo bandolero que se había presentado con los toneles llamó a la casa vestido de oficial y pidió albergue para pasar la noche. Lo dejaron entrar sin el menor recelo. Únicamente la recién casada lo reconoció.

—*Bátiushka* —advirtió a su suegro—, es el mismo bandolero de la otra vez.

—No, hijita. No es él.

Ella no protestó, pero, cuando fue a acostarse, agarró un hacha bien afilada y la dejó al lado de su cama. Se pasó toda la noche en vela, sin pegar ojo. Efectivamente, el oficial se levantó en plena noche, empuñó su sable y quiso degollar al marido. Pero ella, sin asustarse, descargó el hacha y le cortó la mano derecha; la descargó otra vez, y le cortó la cabeza.

Convencido entonces el padre de que la muchacha era realmente discreta, atendió sus consejos, vendió la casa y compró una posada. Allá se mudó y con el tiempo fue enriqueciéndose y comerciando en grande.

Entonces fueron a visitarle los mismos vecinos que primero le prestaron dinero y luego le llevaron a los tribunales.

—¡Hombre! ¿Cómo tú aquí?

—Estoy aquí porque esta es mi casa. La compré hace poco.

—¡Hermosa casa! Se conoce que tienes buenos dineros. ¿Por qué no nos pagas la deuda?

El posadero les saludó con todo respeto y dijo:

—¡Alabado sea Dios, que me ha amparado! He encontrado un tesoro y estoy dispuesto a pagaros incluso el triple de lo que os debo.

—Bueno, amigo, pues vamos a festejar esta mudanza.

—Encantado.

Conque lo celebraron a lo grande. Luego, al ver que la casa tenía además un hermoso huerto, dijeron los antiguos vecinos:

—¿Podríamos visitar el huerto?

—Pues claro que sí, señores míos. Y yo os acompañaré.

Paseando así por el huerto, descubrieron en un rincón una vieja artesa llena de ceniza. El posadero se quedó de una pieza:

—¡Pero si esta es la artesa que vendió mi mujer! ¿Estará todavía el dinero entre la ceniza?

Vaciaron la ceniza y, efectivamente, allí encontraron el dinero. Entonces se convencieron los vecinos de que el hombre había dicho la verdad.

—Pues ahora vamos a ver por los árboles. Puesto que el gorro se lo llevó un cuervo, seguro que le ha servido de nido.

Fueron de un lado para otro hasta que descubrieron un nido. Tiraron de la rama con unos bicheros y, en efecto, era el viejo gorro del pobre. Cuando arrancaron el forro, allí encontraron el dinero.

El posadero pagó su deuda a los antiguos vecinos y siguió viviendo tan rica y felizmente.

La Dicha y la Desdicha

Érase un pobre hombre que no poseía aperos ni ganado. Llegó la primavera, y él no tenía con qué labrar la tierra. Los demás iban con arados y bueyes y él solamente con un trozo de hierro. Conque se encontró con dos señoras, que una era la Dicha y otra la Desdicha.

—¿Adónde vas? —le preguntaron.

—Señoras mías y princesas —contestó el hombre—. Ya veis qué desdicha: la gente va con sus arados y sus bueyes y yo sólo llevo este trozo de hierro. Ni siquiera tengo con qué alimentarme.

Ellas hablaron entre sí y dijeron:

—Le daremos algo.

—Puesto que tan desdichado es —dijo la Dicha—, a ti te corresponde hacerle un regalo.

Conque le dieron diez rublos con estas palabras:

—Vuelve a tu casa y cómprate un buey.

El hombre volvió a su casa y escondió el dinero en un puchero donde solían echar la ceniza. A la mañana siguiente vino una vecina, que era una comadre rica, y preguntó:

—¿No me daríais un poco de ceniza para blanquear mis lienzos?

—Ahí tienes en ese puchero —contestó la mujer del hombre pobre—. Llévatelo.

El hombre, que entonces no estaba en su casa, volvió al rato y, al no encontrar el puchero de la ceniza, se puso a gritarle a su mujer:

94

—¿Dónde has metido el dinero y el puchero?

La mujer juró que no sabía nada del dinero y dijo que el puchero se lo había llevado su comadre. Luego fue el hombre a casa de la comadre a pedirle que le devolviera el dinero. Ella le contestó que no había visto dinero de ninguna clase.

Fue el hombre a ver al señor de aquellas tierras, pero tampoco allí encontró justicia. El señor dijo que seguramente no había tenido nunca ese dinero y lo que pretendía era quitárselo a su comadre. De esta manera se quedó el hombre sin dinero.

Lloró y lloró, pero no le quedó más remedio que marchar de nuevo a labrar con su trozo de hierro. Por el camino se encontró con las dos mismas señoras. Él no las reconoció, pero ellas sí le reconocieron a él.

Ellas le hicieron las mismas preguntas que la otra vez, él contestó también lo mismo y, finalmente, ellas le dieron veinte rublos. El hombre volvió también esa vez a su casa y escondió el dinero en el granero, entre el salvado.

Por la mañana se presentó la misma comadre a pedir un poco de salvado para sus pollos, y la mujer del hombre pobre le dio salvado, sin saber que allí estaba escondido el dinero.

Cuando el hombre fue al granero a buscar el dinero, tampoco lo encontró. Corrió a su casa y se puso a regañar a su mujer, preguntándole dónde había metido el dinero que estaba entre el salvado. La mujer contestó que el salvado se lo había llevado su comadre.

El hombre fue nuevamente a casa de la comadre y a casa del señor, pero en ninguna parte encontró justicia. Todos le dijeron que él no había tenido nunca ese dinero.

El hombre lloró amargamente y cuando volvía a su casa se encontró con las mismas señoras, que esta vez solo le dieron dos monedas de cobre diciéndole:

—Ve al río Niemen y verás a unos pescadores que están echando las redes, pero no sacan nada en ellas. Diles que las echen otra vez por si tú les traes la dicha.

Así lo hizo el hombre: fue al río Niemen y les pidió a los pescadores que echaran otra vez la red por si él les traía la dicha. Conque, nada más echar la red, la sacaron con tanto pescado que no sabían qué hacer con él.

—¿Qué te debemos? —preguntaron los pescadores.

El hombre contestó que le vendieran un pescado por dos monedas de cobre. Ellos le vendieron un pescado por dos monedas de cobre y le regalaron otro.

El hombre agarró los peces, volvió a casa y se los dio a su mujer para que los guisara. La mujer se alegró mucho al ver los peces y los dejó encima de la mesa para guisarlos más tarde.

En esto llamó a la puerta un señor que pasaba por el pueblo. El hombre pobre fue a abrirle el portón y empezó a reírse.

—¿De qué te ríes? —preguntó el señor.

El hombre contestó que tenía un pescado que, nada más mirarlo, cualquiera se echaba a reír. El señor sintió tantos deseos de poseer él aquel pescado, que a cambio le dio un par de bueyes, un par de caballos y todo el grano que quiso el hombre.

Así encontró el hombre su dicha en las dos monedas de cobre.

El mendigo

Érase un hombre llamado Nesterka. Tenía seis hijos, pero no poseía ningún bien de fortuna. Como no podía alimentar a su familia y no se atrevía a robar, enganchó el carro, montó a los niños en él y echó a andar por el mundo, a pedir limosna. Iba por el camino cuando, al volver la cabeza, vio tirado en el barro a un anciano sin piernas.

Y le rogó el anciano:

—Llévame en tu carro, por favor.

—No puedo, *bátiushka* —contestó Nesterka—. Llevo a mis seis criaturas y el caballo no tiene fuerzas.

Pero el mendigo insistió:

—Por favor, hombre, llévame.

Nesterka acabó subiendo al mendigo al carro y siguió su camino. Al cabo de un rato dijo el mendigo:

—Vamos a echar a suertes para ver cuál de nosotros se considera el hermano mayor.

Echaron a suertes y le correspondió al mendigo considerarse el hermano mayor.

En esto llegaron a una aldea.

—Ve a aquella casa —ordenó el mendigo— y pide que nos dejen pasar allí la noche.

Nesterka fue a pedir albergue para la noche. Pero la vieja que le abrió la puerta contestó:

—No puede ser. Apenas tenemos sitio para nosotros.

Volvió Nesterka donde el mendigo y le dijo:

—Aquí no nos dejan.

Pero el mendigo le hizo volver para que insistiera hasta conseguirlo. Y por fin logró Nesterka que les dejaran entrar. Metió el carro en el patio, llevó a sus hijos a la casa y luego llevó también al mendigo.

—A tus hijos, acuéstalos debajo del banco —dijo la vieja—, y al cojo súbele al rellano de la estufa.

El hombre subió al cojo al rellano de la estufa y acomodó a sus hijos debajo del banco.

—¿Dónde está tu marido? —preguntó el mendigo a la vieja.

—Ha salido a robar. Y con él, nuestros dos hijos.

El amo de la casa volvió por fin, metió en el patio doce carros, llenos de plata hasta arriba, y luego entró. Al ver a los pobres, reprendió a su mujer:

—¿Por qué has dejado entrar a esta gente?

—Son unos pobres que han pedido pasar aquí la noche.

—¡Mal hecho! Podían haberse quedado fuera.

El amo se sentó a cenar con su mujer y sus dos hijos, pero sin decirles a los pobres que les acompañaran. El mendigo sacó entonces media *prosvirka**, comió él, les dio a Nesterka y sus hijos, y todos tuvieron bastante.

El amo de la casa estaba asombrado. «¿Cómo será eso? —pensaba—. Nosotros cuatro nos hemos comido una hogaza entera y nos hemos quedado con hambre, mientras que a ellos ocho les ha bastado con media *prosvirka*...».

Cuando el amo de la casa se durmió, el mendigo mandó a Nesterka que se asomara al patio para ver lo que allí pasaba.

Nesterka obedeció: todos los caballos estaban comiendo avena.

El mendigo le mandó por segunda vez.

Salió Nesterka y vio que todos los caballos tenían la collera puesta. Por tercera vez mandó el mendigo salir a Nesterka. Este obedeció: todos los caballos estaban enganchados a los carros. Volvió a la casa y dijo:

—Todos los caballos están enganchados.

—Entonces —ordenó el mendigo—, saca a tus hijos, sácame a mí y vámonos.

Montaron en su carro, salieron del patio y los doce caballos de aquel amo les siguieron con sus carros. Llevaban ya un rato de camino cuando el mendigo le mandó a Nesterka que volviera a la casa donde habían pasado la noche y le trajera sus manoplas.

—Me las dejé en el rellano de la estufa —explicó.

Volvió Nesterka sobre sus pasos y se encontró con que la casa había desaparecido como si se la hubiera tragado la tierra. Solo se habían salvado las manoplas sobre lo que fue la estufa. Conque agarró las manoplas y volvió donde el mendigo con la noticia de que la tierra se había tragado la casa entera.

—Eso ha sido un castigo de Dios por los robos cometidos. Quédate tú con estos doce carros y todo lo que contienen —dijo el mendigo, y desapareció.

Nesterka volvió a su casa, vio que los carros estaban todos llenos de plata y se puso a vivir tan ricamente.

Un día le dijo su mujer:

—Estos caballos llevan mucho tiempo sin hacer nada. Llévatelos a que galopen un poco.

El hombre se dirigió a la ciudad con los caballos. Por el camino se encontró con una doncella a quien nunca había visto.

—Estos caballos no son tuyos —le dijo la joven.

—Cierto: no son míos —contestó Nesterka—. Puesto que los reconoces por tuyos, llévatelos y que Dios te acompañe.

La doncella se quedó con los doce caballos y el hombre volvió a su casa. Al día siguiente se presentó la misma muchacha, llamó a la ventana de la casa y dijo:

—Toma tus caballos. Lo que yo te dije era una broma y, sin embargo, tú me los diste.

Nesterka agarró los caballos y vio que los carros estaban cargados con más plata y oro que antes.

El impávido

En cierto reino, en cierto país, vivía un *barin* tan valiente que no le tenía miedo a nada. Y tenía un criado llamado Fomka. Un día hicieron sus preparativos y se pusieron en camino. Anda que te anda —no sé si poco o mucho—, les sorprendió la noche oscura en pleno bosque. Conque, yendo por el bosque, descubrieron una cabaña y vieron que había luz dentro.

—Vamos a guiarnos por esa luz, Fomka —dijo el *barin*.

Llegaron a la cabaña, entraron, y se encontraron con que allí había un muerto.

El *barin* dijo:

—Vamos a pasar aquí la noche, Fomka.

—¡Ay, no, *barin*! Tengo miedo. Será mejor que sigamos adelante.

—¡Estúpido! ¿Te has creído que voy a andar rondando por el bosque porque tú quieras?

Conque el *barin* agarró su látigo y se acostó al lado del muerto. Fomka se metió en la boca de la estufa, tiró de la puertecilla, acombándola, volvió a colocarla en su sitio, pero por dentro, y apoyó los pies en ella.

Llegó la medianoche, el muerto se levantó y se encontró con aquel vecino inesperado. El *barin*, sin desconcertarse, agarró el látigo y la emprendió a latigazos con él.

Estuvieron peleando mucho tiempo hasta que cantó el gallo; el muerto volvió a caer en su sitio y el *barin* gritó:

101

—¡Fomka! ¡No seas cobarde! Sal de la estufa y carga al muerto en el carro.

Fomka salió de la estufa y cargó el muerto en el carro.

Amo y criado montaron también en el carro y reanudaron su camino. Al atardecer, después de andar un día entero, llegaron a una aldea donde se encontraron a toda la gente en la calle, llorando amargamente.

—¿Por qué lloráis así? —preguntó el *barin*.

—¡Ay, *bátiushka*! ¿Cómo no vamos a llorar? La Muerte ha tomado la querencia de venir todas las noches a comerse a nuestros hijos...

—A ver: decidme dónde está.

—Hoy vendrá a esa casa.

—Fomka —dijo el *barin*—: vamos de caza. Quizá tengamos también suerte hoy.

Se detuvieron delante de la casa que les habían señalado y pidieron albergue para la noche.

—No podemos dejarte entrar —contestó el amo— porque esta noche vendrá la Muerte a nuestra casa. Ya le tenemos preparado a un niño.

—Déjame entrar de todas maneras. Quisiera ver qué aspecto tiene esa Muerte.

Conque le dejaron entrar. Una vez en la isba, el *barin* agarró el látigo y se sentó en un banco. A medianoche llegó un muerto. El *barin* preguntó:

—¿Quién anda por ahí?

—Soy la Muerte.

—¿Y tienes licencia?

—¡Valiente pregunta! ¿Dónde has visto tú que tenga licencia la Muerte?

El *barin* la emprendió con él a latigazos. Entonces el muerto escapó como pudo y corrió al cementerio, adonde estaba su tumba. El *barin* le siguió hasta el cementerio, hizo una señal en aquella tumba y volvió a la casa, donde fue acogido con grandes honores.

Por la mañana dijo el *barin*:

—¡Fomka! Engancha los caballos y vamos al cementerio, que se me ha olvidado allí una cosa.

Así lo hicieron. El *barin* encontró la tumba marcada, la excavó y sacó al muerto que había dentro.

—Agárralo, Fomka, y súbelo al carro.

Fomka obedeció, y así se encontraron con dos muertos.

—Con esto nos basta —dijo el *barin*—: ya tenemos un esturión y una *beluga**.

Siguiendo su camino llegaron a otra aldea donde también estaba llorando la gente.

—¿Por qué lloráis? —preguntó el *barin*.

—¡Ay, *bátiushka*! ¿Cómo no vamos a llorar? Aquí cerca, en el bosque, viven unos bandoleros que nos maltratan, nos saquean, nos pegan palizas de muerte...

—¿Y en qué lugar viven esos bandoleros?

Los campesinos se lo explicaron.

—Fomka —dijo entonces el *barin*—, iremos de caza a ver si tenemos suerte.

Echaron a andar hasta encontrarse con una casa muy grande en el bosque. El jefe de los bandoleros los vio venir por la ventana y dijo:

—Muchachos: ahí llega un *barin*. Vamos a recibirle como se merece.

El *barin* entró en el patio, luego en la casa, y allí se encontró con doce bandoleros que estaban almorzando.

—¡Buenos días, muchachos! —dijo el *barin*, y luego le mandó a Fomka que trajera el esturión y la beluga.

Fomka trajo a los dos muertos y los dejó encima de la mesa.

—Comed, muchachos —invitó el *barin* a los bandoleros, que se quedaron sobrecogidos, sin saber qué contestar. Luego añadió—: Trae el látigo, Fomka, y verás cómo obedecen.

Fomka le entregó el látigo a su amo. El *barin* empezó a atizar a diestro y siniestro a los bandoleros hasta que escaparon todos a la carrera.

—¡Hemos vencido, Fomka! —dijo el *barin*—. Ahora vamos a buscar el dinero.

Conque se llevaron todo lo que encontraron en casa de los bandoleros y se pusieron en marcha otra vez.

Así llegaron al mar océano. En la orilla se alzaba una gran casa de tres plantas.

—Desengancha los caballos, Fomka, y entremos en la casa.

Subieron hasta el piso más alto. Allí encontraron a una *zarevna* anegada en llanto.

—¿Por qué lloras, linda muchacha?

—¡Ay, apuesto mancebo! ¿Cómo no voy a llorar? Hoy me ha designado la suerte para ser presa de los demonios. Llegarán de un momento a otro para llevarme con ellos al mar.

El *barin* se quedó allí a esperar. Primero se presentó un diablejo pequeño.

—¿Adónde vas? —le gritó el *barin*.

—A llevarme a la *zarevna*. Me ha mandado mi abuelo.

—¿Tienes licencia?

—¿Licencia? ¡Pero si nosotros somos demonios!

—Eso ya lo sé. De manera que vivís sin pagar licencia ni tributo, ¿eh?

Empuñó el látigo y empezó a descargarlo sobre el diablejo, que escapó a duras penas y corrió a zambullirse en el mar para contárselo todo a Satanás. Satanás mandó entonces a un gran número de demonios, pero el *barin* los ahuyentó a unos con el látigo y a otros los tiró por la ventana.

Entonces se presentó el propio Satanás.

—¿Qué significa todo este alboroto? ¿O es que quieres ser más que yo?

—Y tú ¿quién eres? —preguntó a su vez el *barin*—. ¿Tienes licencia?

—¡Valiente estúpido! ¿Qué licencia necesito yo? ¡Yo soy Satanás!

—¿Y qué? ¿Te has creído que eres muy listo? Pues ahora verás... Fomka, dame el látigo y unas tenazas al rojo.

Fomka le dio a su amo lo que pedía y este empezó a pegarle latigazos y a tirarle pellizcos con las tenazas a Satanás. El diablo se revolvía y pegaba saltos; pero viendo que no lograba escapar, suplicó al *barin* que tuviera compasión de él y cuando este le soltó, ya medio muerto, corrió a ciegas a zambullirse en el mar.

Más tarde llegó el zar, todo enlutado, y se llevó la gran alegría al encontrarse a su hija viva. Empezó a hacerle preguntas, y la *zarevna* contó quién la había salvado de la muerte y de qué manera. El zar expresó su agradecimiento al *barin* y le dio a su hija por esposa.

Ya casado, cuando el *barin* regresaba en compañía de su esposa al lugar donde antes vivía, hubo de pasar junto al mar que habitaban los demonios. Al verle, los demonios quisieron correr a él y arrojarlo al agua, pero el propio Satanás los detuvo:

—¡Que nadie lo toque! —gritó—. Es capaz de machacarnos a todos como si tal cosa.

El *barin* regresó a su casa sin contratiempos y allí sigue viviendo dichoso.

Cuentos de muertos

Vivía en una aldea una moza haragana y vaga que odiaba cualquier labor y solo era amiga de pláticas y cháchares.

Una vez se le ocurrió invitar a otras muchachas para que hilaran en su casa. Sabido es que, en las aldeas, esas invitaciones las hacen las holgazanas y las aceptan las golosas. Conque acudieron las mozas, se pusieron a hilar y ella fue agasajándolas. Entre unas cosas y otras salió la conversación sobre quién era la más valiente. La haragana dijo:

—Yo no le tengo miedo a nada.

—Pues si no le tienes miedo a nada —replicaron las otras—, ve por delante del cementerio hasta la iglesia, coge la imagen que está en la puerta y tráela aquí.

—Bueno, la traeré. Pero cada una de vosotras tiene que hilarme una vedeja.

Porque ese era siempre su empeño: no hacer ella nada y que se lo hicieran los demás. De manera que fue a la iglesia, quitó la imagen y volvió con ella. Las muchachas vieron que era efectivamente la imagen de la iglesia. Pero había que devolverla a su sitio, y ya era cerca de medianoche. ¿Quién se atrevía? Dijo entonces la haragana:

—Vosotras seguid hilando, que yo misma la llevaré. Yo no le tengo miedo a nada.

Fue la muchacha, dejó la imagen en su sitio, pero al regreso, cuando pasaba por delante del cementerio, vio a un muerto sentado encima de una tumba, envuelto en su sudario blanco. Era noche de luna y se veía todo perfectamente. La muchacha se acercó y le quitó el sudario sin que el muerto dijera nada. Se conoce que no le había llegado la hora de hablar. Agarró, pues, el sudario, y regresó a su casa.

—Ya está —dijo—: he llevado la imagen, he vuelto a colocarla en su sitio y, además, le he quitado el sudario a un muerto.

De las muchachas que estaban allí, unas se asustaron y otras se rieron pensando que no era cierto lo que contaba. Pero acababan de acostarse después de cenar, cuando el muerto llamó de repente a la ventana diciendo:

—¡Devuélveme mi sudario! ¡Devuélveme mi sudario!

Las mozas estaban asustadísimas, más vivas que muertas, pero la haragana abrió la ventana y dijo:

—Tómalo. Aquí lo tienes.

—No —contestó el muerto—. Llévalo al sitio donde lo cogiste.

Pero en esto cantaron los gallos y el muerto desapareció.

A la noche siguiente, cuando las hilanderas habían vuelto a sus casas, se presentó el muerto a la misma hora llamando a la ventana:

—¡Devuélveme mi sudario!

El padre y la madre de la haragana abrieron la ventana y quisieron darle su sudario.

—No —dijo el muerto—. Tiene que llevarlo ella al sitio donde lo cogió.

¿Pero quién es capaz de ir con un muerto al cementerio? Nada más cantar los gallos, el muerto desapareció.

Al día siguiente, el padre y la madre llamaron a un sacerdote y le pidieron ayuda después de contarle todo lo ocurrido.

—¿No se podría decir una misa? —preguntaron.

—Quizá se pueda hacer algo —opinó el sacerdote después de pensarlo un poco—. Decidle a vuestra hija que vaya mañana a la hora del servicio divino.

A la mañana siguiente fue la haragana a la iglesia, que estaba llena de gente. Comenzó la misa. Llegado el momento de alzar, se levantó de pronto un terrible vendaval que hizo prosternarse a todos los fieles. Pero a la moza el vendaval la envolvió y luego la pegó contra el suelo. Y así desapareció, sin quedar de ella nada más que su trenza.

* * *

A un soldado le dieron licencia para ir a su pueblo. Anda que anda —no sé si mucho o poco tiempo—, iba ya acercándose cuando se encontró frente a un molino próximo al pueblo, con cuyo molinero había tenido el soldado gran amistad en tiempos. ¿Por qué no saludarle? Entró. El molinero le acogió afablemente, en seguida trajo vino, y se pusieron a beber mientras hablaban de unas cosas y otras.

Caía ya la tarde, y cuando el soldado y el molinero terminaron su charla había anochecido totalmente. Por eso, viendo que el soldado se disponía a llegar hasta el pueblo, le dijo el molinero:

—Quédate aquí esta noche. Ya es tarde y te puede suceder cualquier percance.

—¿A qué te refieres?

—Pues a un castigo que nos ha mandado Dios. Murió un viejo hechicero que había aquí y ahora sale de su tumba todas las noches, ronda por el pueblo, y hace tales trastadas que incluso a los más valientes les ha metido el corazón en un puño. Podría hacerte algo a ti también.

—¡Bah! Un soldado está hecho a todo: ni se ahoga en el agua ni arde en el fuego. Me iré ahora de todas maneras: tengo muchas ganas de ver a mi familia.

El soldado salió al camino y, al pasar por delante del cementerio, vio que ardía una luz sobre una de las tumbas.

—¿Qué será? Iré a ver.

Se acercó y junto a la luz vio al hechicero remendando unas botas.

—Buenas noches, hermano —saludó el soldado.

El hechicero le miró y preguntó:

—¿A qué has venido?

—Quería ver lo que estabas haciendo.

El hechicero abandonó su trabajo y le propuso al soldado:

—Vamos a divertirnos. Esta noche hay boda en la aldea.

Llegaron a la casa donde se celebraba la boda y allí empezaron a agasajarlos a más y mejor. El hechicero bebió, se divirtió, pero de pronto se puso furioso. Echó de la casa a todo el mundo —parientes e invitados—, luego durmió a los recién casados, sacó del bolsillo una lezna y dos frasquitos y los llenó con sangre del novio y de la novia, después de pincharles a cada uno en un brazo con la lezna.

—Ahora vámonos de aquí —dijo entonces al soldado.

Por el camino preguntó el soldado:

—Dime: ¿para qué has llenado esos frasquitos de sangre?

—Para que el novio y la novia se mueran. Mañana nadie logrará despertarlos. Solamente yo sé cómo hacerles revivir.

—¿Y cómo es?

—Hay que hacerles al novio y a la novia un corte en un talón y por esa herida verterle de nuevo a cada uno su sangre: la del novio la llevo en el bolsillo de la derecha y la de la novia en el otro.

El soldado le escuchó sin decir una palabra. El hechicero siguió jactándose:

—Yo puedo hacer todo lo que quiera.

—¿Y no hay manera de vencerte a ti?

—Hombre, claro que la hay. Mira: si alguien hiciera una hoguera con cien carretadas de leña de pobo y me quemara en ella, quizá me venciera. Pero también tendría que saber el modo de quemarme, porque entonces saldrán de mis entrañas serpientes, gusanos y toda clase de alimañas, y también chovas, urracas y cuervos que escaparán volando. A todos hay que cazarlos y echarlos a la hoguera. Con que se salve un solo gusano, todo habrá sido inútil, ya que en ese gusano escaparé yo del fuego.

El soldado lo escuchó todo, grabándoselo en la memoria. De esta manera, y mientras hablaban, llegaron finalmente junto a la tumba.

—Bueno, hermano, ahora debo despedazarte, no vayas a contarlo todo por ahí.

—¿Estás loco? ¿Cómo vas a despedazarme si estoy al servicio de Dios y nuestro soberano?

El hechicero rechinó los dientes, lanzó un aullido y se abalanzó sobre el soldado. Pero el soldado agarró el sable y empezó a pegar estocadas. Estuvieron peleando mucho tiempo, y el soldado, casi extenuado, pensaba ya que estaba perdido, cuando cantaron los gallos de pronto y el hechicero cayó muerto otra vez.

El soldado le sacó de los bolsillos los frasquitos de sangre y fue a ver a sus parientes. Llegó, los saludó, y los parientes le preguntaron.

—¿No te ha ocurrido nada malo por el camino?

—Pues no, nada.

—¡Menos mal! Nosotros, en cambio, estamos pasando muchas calamidades: un hechicero ha tomado la costumbre de venir por el pueblo.

Estuvieron charlando un rato y luego se acostaron. Por la mañana, al despertarse, preguntó el soldado:

—¿No hay una boda por aquí cerca?

—La había, sí, en casa de un rico campesino. Pero el novio y la novia se han muerto esta noche sin que nadie sepa de qué.

—¿Y dónde vive ese campesino?

Los parientes le indicaron la casa, y allá fue el soldado sin decir nada. Llegó y se encontró a toda la familia hecha un mar de lágrimas.

—¿Por qué lloráis tanto?

Le contaron lo sucedido.

—Yo puedo devolver la vida a los novios. ¿Qué me daríais por ello?

—Puedes quedarte con la mitad de nuestros bienes.

El soldado hizo todo lo que le había explicado el hechicero y devolvió la vida a los novios. Todo el llanto se volvió alegría. El soldado fue agasajado, recibió su recompensa y luego marchó derechito a ver al alcalde para pedirle que reuniera a los campesinos y les mandara traer cien carretadas de leña de pobo.

La leña fue llevada al cementerio y amontonada allí. Luego sacaron al hechicero de su tumba, le acostaron sobre la leña y le prendieron fuego a la hoguera, en torno a la cual se había juntado toda la gente con escobones, palas, atizadores...

Cuando las llamas envolvieron la hoguera, empezó también a arder el hechicero. Reventaron sus entrañas, de donde empezaron a salir serpientes, gusanos y otras alimañas, y a escapar volando cuervos, urracas y chovas. La gente se lanzó a matar aquellos bichos inmundos y arrojarlos a la hoguera sin dejar que escapara ni un solo gusano.

De esta manera ardió el hechicero.

El soldado recogió inmediatamente las cenizas y las aventó.

Desde entonces volvió la paz a aquella aldea. Los campesinos se juntaron todos para expresar su gratitud al soldado, que, después de pasar muy bien su permiso, volvió al servicio del zar con sus buenos dineros.

Cumplido su plazo, y ya con licencia absoluta, vivió tan ricamente, multiplicando sus bienes y evitando los males.

*　*　*

Un campesino partió de caza llevando a su perro preferido. Después de mucho andar por el bosque y pantanos sin encontrar nada, le sorprendió la noche oscura fuera del poblado. Pasaba cerca de un cementerio a hora tan desusada, cuando en una encrucijada vio a un muerto con su sudario blanco. El hombre se quedó sobrecogido, sin saber si seguir adelante o dar media vuelta.

«¡Bah! Seguiré adelante y ya veremos lo que pasa», se dijo.

Continuó, pues, su camino, seguido por el perro. En esto le vio el muerto y corrió a su encuentro, haciendo ondear el sudario y sin tocar el suelo con los pies. Cuando llegó a la altura del cazador, se lanzó sobre él, pero el perro agarró al muerto por las pantorrillas y se lio a pegarle dentelladas. Viendo el campesino que el perro no soltaba al muerto, aprovechó para escapar a toda velocidad hacia su casa.

El perro estuvo peleando hasta que cantaron los gallos y el muerto se desplomó sin movimiento. Entonces corrió detrás de su amo, le dio alcance cuando estaba ya cerca de su casa y la emprendió a mordiscos con él. Tan furioso estaba y con tanta rabia le acometía, que a duras penas lograron librarle de él sus familiares.

—¿Qué le pasará al perro? —preguntaba la madre—. ¿Por qué le habrá tomado ese odio a su amo?

El campesino refirió entonces lo sucedido.

—Hiciste mal, hijo mío —reprochó la madre—. El perro se ha enfadado porque tú no le echaste una mano. Mientras él luchaba con el muerto, tú le abandonaste para salvarte. Ahora te guardará rencor mucho tiempo.

A la mañana siguiente todos se dedicaron a sus quehaceres, yendo y viniendo por el patio, y el perro como si tal cosa. Pero en cuanto aparecía su amo, empezaba a gruñirle.

Hubo que atarlo con una cadena. Así lo tuvieron un año entero, pero ni en todo ese tiempo olvidó el animal el mal comportamiento de su amo. Hasta que un día rompió la cadena y se tiró al cuello del cazador para ahogarle.

Entonces tuvieron que matar al pobre perro.

*　*　*

Éranse un hombre y una mujer que vivían en una aldea, siempre contentos, en paz y armonía. Todos los vecinos los envidiaban y a las buenas gentes se les alegraba el corazón de verlos.

La mujer se quedó preñada, trajo un hijo al mundo y murió del parto. El pobre hombre lloró y lo sintió mucho, sobre todo pensando en la criatura: sin la madre, ¿cómo iba ahora a alimentarla y a criarla? De manera que buscó a una vieja para cuidarla: al fin y al cabo, estaría mejor atendida.

Pero entonces sucedió un hecho curioso. El niño se pasaba el día sin aceptar ningún alimento, llorando horas y horas desconsoladamente; pero cuando llegaba la noche, dormía callada y plácidamente, como si no hubiera niño en la casa.

—¿Por qué será? —se preguntaba la vieja—. Esta noche me quedaré en vela a ver si me entero.

Conque, justo a la medianoche, oyó que alguien abría la puerta con mucho cuidado y se acercaba a la cuna. La criatura se calmó como si estuviera mamando. A la segunda noche ocurrió lo mismo y a la tercera también.

La vieja se lo contó al padre, que llamó a sus parientes para pedirles consejo. Entre todos decidieron pasarse una noche sin dormir para ver quién venía a dar de mamar a la criatura.

Se acostaron todos en el suelo y cada uno puso a su cabecera una vela encendida tapada con un puchero.

A medianoche se abrió la puerta de la casa, alguien se acercó a la cuna y el niño se quedó callado.

Uno de los familiares le quitó entonces el puchero a su vela y todos pudieron ver a la difunta madre, vistiendo la misma ropa con que la habían enterrado, de rodillas junto a la cuna dándole el pecho al niño.

Apenas brilló la luz, la madre se incorporó, miró tristemente a su criaturita y se alejó lentamente, sin decirle a nadie ni una palabra.

Todos los que la habían visto quedaron convertidos en piedra y al niño le encontraron muerto.

* * *

Un maestro de escuela volvía de la iglesia una noche, cuando se tropezó con doce bandoleros.

—¿Sabes dónde está enterrada —le preguntaron los bandoleros— esa rica señora que murió en vuestra aldea hace una semana?

—Sí. La enterraron en la cripta de la iglesia.

Los bandoleros le obligaron a seguirlos, amenazándole con un cuchillo muy afilado. Llegaron a la cripta de la iglesia, arrancaron la reja de una ventana y obligaron a bajar al maestro colgándole de sus fajas.

—Abre la sepultura —le ordenaron—, quítale a la difunta los siete anillos de oro con piedras preciosas y tráelos aquí.

El maestro levantó la tapa de la sepultura y fue quitándole los anillos de oro a la difunta. Le quitó seis, pero el séptimo no pudo quitárselo porque la difunta tenía ese dedo doblado. Así se lo dijo el maestro a los bandoleros. Ellos le tiraron un cuchillo ordenándole:

—¡Córtale el dedo!

El maestro recogió el cuchillo, pero no hizo más que cortarle el dedo a la difunta cuando esta se incorporó como si despertara de un sueño y empezó a dar voces.

—¡Hermanas y hermanos míos! Acudid pronto en mi auxilio. Tanto como he sufrido en vida, y tampoco me dejan descansar después de muerta...

A sus gritos empezaron a abrirse las sepulturas y a salir de ellas los muertos.

Los bandoleros, que oyeron aquel ruido, escaparon en todas direcciones mientras que el maestro, del susto, corrió escaleras arriba, atravesó la iglesia, se escondió en el coro y cerró la puerta. Los muertos que le perseguían vieron dónde se escondía. Fueron trayendo sus féretros y colocándolos unos encima de otros para llegar hasta el coro. Pero el maestro había encontrado una pértiga y se valió de ella para echarlos abajo. En ese trajín estuvo hasta la medianoche. Pero cuando dieron las doce campanadas, los muertos recogieron sus féretros y volvieron a la cripta.

El maestro quedó allí más muerto que vivo.

A la mañana siguiente le encontraron en la iglesia, tullido y enfermo. Llegó un sacerdote, le prestó los auxilios espirituales y a continuación falleció el maestro.

El vampiro

En cierto reino, en cierto país, vivía un viejo con su mujer y su hija Marusia.

Por San Andrés era costumbre en aquella aldea que se reunieran las mozas en alguna de las casas. Cocían dulces y se pasaban una semana o más de fiesta.

Conque una vez, por esas fechas, se reunieron las mozas, prepararon como de costumbre los dulces y los pastelillos. Por la tarde llegaron los muchachos con un caramillo, con algo de bebida y empezaron los bailes y la diversión con gran alborozo. Todas las muchachas bailaban con donaire, pero Marusia mejor que todas. Al poco rato se presentó en la casa un mozo que daba gusto verle: la tez blanca, buenos colores, vestido con lujo y pulcritud.

—Buenas tardes, hermosas muchachas —saludó.

—Buenas tardes, apuesto mancebo.

—Veo que os divertís mucho.

—Quédate tú también.

El recién llegado sacó una bolsa llena de oro, mandó traer bebidas, nueces, galletas de miel... Luego convidó a todos, chicos y chicas, y cuando se puso a bailar dejó a todos admirados, pero en particular a Marusia, a quien también estuvo él cortejando durante la velada entera.

Llegó el momento de volver cada cual a su casa, y entonces dijo el joven:

—¿No quieres salir a despedirme, Marusia?

Ella salió a despedirle, y entonces preguntó él:

—Marusia, corazón, ¿te casarías conmigo?

—Si me lo pides, yo encantada. Y tú, ¿de dónde eres?

—Pues vivo en tal sitio y trabajo de dependiente en casa de un mercader.

Así se despidieron, y cada cual se fue por su lado. Regresó Marusia a su casa y le preguntó su madre:

—¿Te has divertido, hijita?

—Sí, *mátushka**. Además, voy a darte una buena noticia: vino a la velada un mozo forastero, muy apuesto, bien parecido y con mucho dinero, y ha prometido casarse conmigo.

—Escucha, Marusia: mañana te llevas un ovillo de hilo a la velada. Cuando salgas a despedir a ese mozo, le atas un extremo del hilo a un botón y vas soltando la hebra con cuidado. De esa manera, siguiendo luego el hilo, te enterarás de dónde vive.

A la tarde siguiente, Marusia se llevó un ovillo de hilo a la velada. Acudió también el apuesto mozo.

—Buenas tardes, Marusia.

—Buenas tardes.

Comenzaron los juegos, los bailes, y el mozo buscaba la compañía de Marusia más aún que la primera vez, sin apartarse ni un paso de ella.

Llegó el momento de volver cada cual a su casa.

—Sal a despedirme, Marusia —rogó el mozo.

Marusia salió con él y, al despedirse, le ató con mucha habilidad un extremo del hilo a un botón. El mozo echó a andar, y ella fue soltando con mucho cuidado la hebra. Cuando se terminó el hilo, Marusia lo siguió corriendo para enterarse de dónde vivía su prometido.

El hilo seguía primero el camino, pero luego empezó a pasar por encima de tapias y zanjas hasta conducirla a la entrada principal de una iglesia. Marusia quiso entrar, pero la puerta estaba cerrada. Echó a andar a lo largo de la pared hasta que encontró una escalera, y apoyándola junto a una ventana, trepó para ver lo que allí ocurría.

Subió por la escalera, se asomó y vio a su prometido, de pie junto a un féretro, devorando a un difunto que estaba aquella noche en la iglesia para ser enterrado al día siguiente. Marusia quiso bajar con mucho cuidado de la escalera; pero estaba tan asustada, que hizo ruido. Emprendió la carrera hacia su casa, aterrada, todo el tiempo con la impresión de que alguien la perseguía, hasta que llegó más muerta que viva.

—¿Viste ayer al mozo de la otra vez? —le preguntó su madre por la mañana.

—Sí, *mátushka* —contestó, pero sin más explicaciones.

Llegó la tarde, y Marusia dudaba entre si ir o no ir a la velada.

—Debes ir —le aconsejó la madre—. Diviértete ahora que eres joven.

Al llegar Marusia a la velada, el otro ya estaba allí. Como siempre, empezaron los juegos, las risas, los bailes... Las otras muchachas no sospechaban nada. Cuando todos se despedían ya, dijo el vampiro:

—Sal a acompañarme, Marusia.

Pero a ella le daba miedo y se resistía. Entonces intervinieron todas las otras:

—¿Qué te ocurre? ¿Te ha entrado cortedad de pronto? Anda, sal a despedir a este buen mozo.

Y ella salió, encomendándose a Dios. Apenas en la calle, preguntó él:

—¿Fuiste anoche a la iglesia?

—No.

—¿Viste lo que yo hacía allí?

—No.

—Bueno, pues mañana se morirá tu padre —dijo él, y desapareció.

Marusia volvió a su casa, triste y preocupada. Cuando se despertó por la mañana supo que su padre había amanecido muerto. Le lloraron, le depositaron en un ataúd y, al atardecer, la madre fue a apalabrar los funerales con el pope.

Marusia se quedó sola y, como sentía miedo, pensó: «Iré a ver a mis amigas».

Llegó a la casa donde se reunían, y allí estaba el vampiro.

—Hola, Marusia. ¿Por qué estás tan triste? —le preguntaron las muchachas.

—¿Cómo no voy a estar triste si se ha muerto mi padre?

—¡Ay, pobrecilla!

Todos se lamentaron con ella, y también el maldito vampiro, como si no fuera cosa suya lo ocurrido. A la hora de deshacerse la reunión, dijo como siempre:

—Sal a despedirme, Marusia.

Ella no quería. Le daba miedo.

—¡Ni que fueras una niña pequeña! —intervinieron las otras mozas—. ¿Qué temes? Ve a despedirle, mujer.

Salió por fin a despedirle, y cuando estuvieron fuera preguntó él:

—Dime, Marusia, ¿estuviste en la iglesia?

—No.

—¿Y viste lo que yo hacía?

—No.

—Bueno, pues mañana se morirá tu madre —dijo él, y desapareció.

Regresó Marusia a su casa más triste todavía. Cuando se despertó por la mañana supo que su madre había muerto. Se pasó el día llorando; pero cuando se puso el sol y oscureció, le dio miedo quedarse sola. Fue donde sus amigas.

—Hola. ¿Qué te pasa? Estás demudada —le dijeron las mozas.

—¿Y cómo voy a estar? Ayer se murió mi padre y hoy se ha muerto mi madre.

—¡Pobrecilla! ¡Qué pena...! —se lamentaban todos.

Llegó el momento de separarse.

—Sal a acompañarme, Marusia —pidió él.

Marusia salió a acompañarle.

—Dime, ¿estuviste en la iglesia?

—No.

—¿Y viste lo que yo hacía?

—No.

—Bueno, pues mañana por la noche te morirás tú.

Marusia se quedó a dormir en casa de sus amigas. Por la mañana, al despertarse, empezó a pensar lo que podría hacer y entonces se acordó de una abuela muy viejecita, tan vieja que se había quedado ya ciega. «Iré a pedirle consejo», decidió, y en seguida se puso en camino.

—Hola, abuelita.

—Hola, nietecita mía. ¿Cómo vives, con ayuda del Señor? ¿Y tus padres?

—Se han muerto, abuelita —contestó, y le refirió todo lo ocurrido.

Después de escucharla dijo la anciana:

—¡Pobrecita mía! Anda corriendo a casa del pope y pídele que, si te mueres, excaven un hoyo debajo del umbral, y al sacarte de casa te hagan pasar por ese agujero y no por la puerta. Pídele también que te entierren en la encrucijada, allí donde se cruzan dos caminos.

Fue Marusia a casa del pope y, llorando a todo llorar, le pidió que lo hiciera todo tal y como había dicho la abuela. De regreso a su casa, compró un ataúd, se metió dentro y al instante quedó muerta.

Avisado el sacerdote, enterró primero al padre y a la madre de

Marusia, y luego a la muchacha. A ella la sacaron por debajo del umbral y le dieron tierra en la encrucijada.

Al poco tiempo pasaba el hijo de un boyardo por delante de la tumba de Marusia y descubrió allí una florecilla maravillosa como no había visto nunca otra igual.

—Coge esa florecilla con raíz y todo —le dijo a su criado—. La llevaremos a casa y la plantaremos en un tiesto para que florezca allí.

Conque cogieron la florecilla, la llevaron a su casa, la plantaron en un tiesto de colores y la colocaron sobre el alféizar de la ventana. Allí siguió creciendo la flor tan hermosa.

Pero una noche en que no tenía sueño, se fijó el criado en la ventana y vio una cosa prodigiosa. La florecilla se agitó de pronto, cayó del tiesto al suelo y se convirtió en una linda doncella. Si hermosa era la florecilla, más lo era la muchacha.

La linda doncella echó a andar por los aposentos, buscó comida y bebida, y una vez saciadas el hambre y la sed pegó contra el suelo, quedando convertida en florecilla, y trepó a la ventana para posarse en su rama.

Al día siguiente le refirió el criado a su señor el prodigio que había presenciado.

—¡Muchacho! ¿Cómo no me has despertado? Esta noche velaremos los dos.

Llegó la noche, y ellos se quedaron en vela, esperando. A las doce en punto, la florecilla empezó a agitarse, revoloteó de un lado a otro, luego pegó contra el suelo y apareció una linda doncella. Buscó comida y bebida y se sentó a cenar. El joven señor corrió a ella, la tomó de las blancas manos y la condujo a su aposento, donde estuvo contemplándola embelesado. Por la mañana les dijo a sus padres:

—Dadme vuestra venia para casarme: he encontrado novia.

Los padres dieron su consentimiento. Pero Marusia advirtió:

—Me casaré contigo, pero a condición de no ir a la iglesia en cuatro años.

—De acuerdo.

Se casaron, pues, vivieron felices un año, luego dos, y les nació un niño.

Un día en que tenían invitados, y después de beber y divertirse, cada cual empezó a jactarse de su esposa: si la de uno valía mucho, la del otro valía más aún...

—Vosotros diréis lo que queráis —intervino el señor de la casa—, pero no hay en el mundo ninguna mejor que mi esposa.

—Será muy buena, pero no está bautizada.

—¿Cómo que no?

—Por lo menos, no va a la iglesia.

Aquellas palabras le parecieron ofensivas al marido. Esperó al domingo y le ordenó a su mujer vestirse para asistir a misa.

—Ya lo sabes: no acepto ninguna razón. Quiero verte lista al instante.

Conque fueron a la iglesia. El marido entró y no vio nada de particular, pero ella descubrió en seguida al vampiro sentado en el alféizar de una ventana.

—¡Ah! Conque has venido, ¿eh? Pues volvamos a lo pasado. ¿Estuviste aquella noche en la iglesia?

—No.

—¿Y viste lo que yo hacía allí?

—No.

—Bueno, pues mañana se morirán tu marido y tu hijo.

A la salida de la iglesia, Marusia corrió a casa de su abuela. Esta le dio agua bendita en un frasquito, agua de la vida en otro y le explicó lo que debía hacer.

El marido y el hijo de Marusia murieron al día siguiente. Acudió el vampiro y preguntó:

—Dime, ¿estuviste en la iglesia?

—Sí.

—¿Y viste lo que yo hacía?

—Estabas devorando a un difunto.

Nada más pronunciar estas palabras, Marusia le echó encima el agua bendita, dejándole reducido a cenizas.

Luego salpicó con el agua de la vida a su marido y a su hijo, que resucitaron en seguida.

Desde entonces no conocieron ya pesares ni separaciones, y vivieron juntos largos años felices.

Iván, hijo de un mercader, vela a una zarevna

En cierto país vivía un mercader que tenía un hijo llamado Iván. Después de aprender a leer y escribir, Iván se colocó en casa de un hombre rico. Trabajó para él tres años, cobró todo el dinero que le correspondía por ese tiempo y emprendió el regreso a su casa.

Iba por el camino cuando se cruzó con un mendigo cojo y ciego que andaba renqueando pidiendo limosna por el amor de Dios. El hijo del mercader le dio al mendigo todo lo que había ganado y llegó a su casa con las manos vacías. Por si fuera poco, tuvo la desgracia de que falleciera su padre. Hubo de ocuparse de los funerales, pagar las deudas...

Salió por fin adelante con todos aquellos quehaceres y se puso a comerciar. En esto, se enteró de que dos tíos suyos estaban cargando de mercaderías unos barcos y pensaban hacerse a la mar.

—¿Y si fuera yo también? —pensó—. Quizá quieran llevarme mis tíos con ellos.

Así fue a pedírselo. Ellos parecieron aceptar:

—Bueno, pues ven mañana —dijeron.

Pero al día siguiente izaron velas y partieron ellos solos, sin su sobrino.

Iván se quedó muy triste. Entonces le dijo su madre:

—No te aflijas, hijo mío. Ve al mercado y búscate un dependiente, pero que no sea joven. Los hombres de edad tienen experiencia y se orientan mejor en todo. Cuando tengas apalabrado al dependiente, prepara un barco y haceos juntos a la mar. Dios es misericordioso.

Iván corrió al mercado siguiendo el consejo de su madre y por el camino se encontró con un viejecillo de cabellos grises.

—¿Dónde vas tan corriendo, buen mozo? —preguntó el viejo.

—Voy al mercado, abuelo, porque necesito un dependiente.

—Yo puedo servirte.

—¿Y cuánto quieres cobrar?

—La mitad de las ganancias.

El hijo del mercader aceptó y tomó al viejecillo de dependiente.

Prepararon un barco, lo cargaron de mercaderías y zarparon. Como tenían viento favorable y el barco era veloz, arribaron a cierto país extranjero al mismo tiempo que entraban en la bahía los barcos de los tíos de Iván.

En aquel país había muerto la hija del zar y desde que su cuerpo fue conducido a la iglesia tenían que mandarle a una persona cada noche para que la devorase. De esta manera había perecido ya mucha gente.

—Si esto continúa —pensó el zar—, acabará desapareciendo mi reino entero.

Y entonces se le ocurrió no enviar a sus súbditos, sino a los forasteros que caían por allí. Todo mercader que llegaba al muelle debía pasarse una noche en la iglesia y solo después, si quedaba con vida, podía dedicarse a comprar, a vender, y volver a su tierra.

Conque los mercaderes recién llegados empezaron a hacer cábalas, nada más pisar el muelle, sobre cuál de ellos debía ir primero a la iglesia. Echaron a suertes y les correspondió ir la primera noche al mayor de los tíos, la segunda al menor y la tercera a Iván, el hijo del mercader. Los tíos, muertos de miedo, le pidieron al sobrino:

—Iván, muchacho: vela tú por nosotros en la iglesia y te daremos lo que pidas, sin regatear.

—Esperad que se lo pregunte a mi dependiente.

Fue a ver al viejecillo y le dijo:

—Mis tíos se empeñan en que vele yo en la iglesia en su lugar. ¿Qué me aconsejas tú?

—Pienso que puedes hacerlo. Pero, a cambio, ellos deberán darte tres barcos cada uno.

Iván, el hijo del mercader, transmitió estas palabras a sus tíos, y ellos aceptaron.

—De acuerdo, Iván. Seis barcos serán tuyos.

Por la noche, el viejo agarró a Iván de la mano, le condujo a la

iglesia y, colocándole cerca del féretro, trazó un círculo a su alrededor.

—Estate aquí quieto, sin traspasar la raya, recita salmos y no temas nada.

El viejecillo se marchó. Iván, el hijo del mercader, se quedó solo en la iglesia. Abrió un libro y se puso a recitar salmos.

Nada más sonar las campanadas de la medianoche, se levantó la tapa del féretro y salió de él la *zarevna*. Fue derecha hacia Iván.

—¡Te voy a devorar! —gritó, y se abalanzó, vociferando, ladrando y maullando, pero sin trasponer la raya trazada por el viejo.

Iván siguió con los salmos, sin mirarla siquiera, hasta que los gallos cantaron de pronto y la *zarevna* volvió a meterse en su ataúd, con tanta precipitación que el vuelo de su vestido quedó asomando por debajo de la tapa.

A la mañana siguiente, el zar envió a sus servidores a la iglesia.

—Id a recoger los huesos de ese muchacho —les ordenó.

Los servidores abrieron la puerta, miraron dentro de la iglesia y vieron al hijo del mercader vivo, recitando salmos junto al ataúd.

Lo mismo ocurrió a la noche siguiente. Pero, a la tercera, el viejo condujo a Iván de la mano hasta la iglesia y le advirtió:

—Esta vez, en cuanto den las doce de la noche, sube corriendo al coro. Allí verás una gran imagen del apóstol San Pedro. Colócate detrás y no temas nada.

El hijo del mercader volvió a sus salmos y estuvo recitando hasta que, justo a medianoche, empezó a levantarse la tapa del ataúd. Iván subió corriendo al coro y se colocó detrás de la imagen del apóstol San Pedro.

La *zarevna* se lanzó tras él, subió también al coro; pero, aunque estuvo buscándole por todos los rincones, no pudo dar con él. Por fin se aproximó a la imagen, contempló la faz del santo apóstol y se puso a temblar. De pronto partió del icono una voz que decía:

—¡*Vade retro*!

El espíritu malo abandonó en el mismo instante el cuerpo de la *zarevna*, que cayó de rodillas delante de la imagen, anegada en llanto.

Iván, el hijo del mercader, salió entonces de su escondite y se hincó a su lado, santiguándose y prosternándose.

Cuando los servidores del zar acudieron a la iglesia por la mañana, se encontraron a Iván, el hijo del mercader, y a la *zarevna* de rodillas y rezándole a Dios. Corrieron a informar al zar, que, lleno de alegría, acudió en persona a la iglesia. Se llevó a la *zarevna* a palacio y le dijo al hijo del mercader:

—Ya que has salvado a mi hija y al reino entero, cásate con ella y te daré como dote seis barcos cargados de valiosas mercaderías.

La ceremonia se celebró al día siguiente, y todo el mundo festejó en el banquete de bodas: los boyardos, los mercaderes, los simples campesinos...

Una semana después, Iván dispuso el regreso a su país. Se despidió del zar y, en compañía de su joven esposa, subió a un barco y ordenó hacerse a la mar. Su barco navegaba a toda vela, seguido por doce barcos más: los seis que le regaló el zar y los seis que les ganó a sus tíos.

Habían hecho la mitad de la travesía cuando el viejo le preguntó a Iván, el hijo del mercader:

—¿Cuándo vamos a repartir las ganancias?

—Ahora mismo, si quieres. Elige los seis barcos que más te gusten.

—Pero esto no es todo. También hay que repartir a la *zarevna*.

—¿Qué dices, abuelo? ¿Cómo vamos a repartirla?

—Muy sencillo. Yo la partiré en dos: una mitad para ti y otra para mí.

—¡Hombre, por Dios! De esa manera, no será para ninguno. Mejor será que lo echemos a suertes.

—No quiero —contestó el viejo—. ¿No dijimos que las ganancias a medias? Pues así ha de ser.

Agarró el sable y partió a la *zarevna* en dos pedazos, de los que empezaron a salir alimañas y serpientes. El viejo mató a todas las alimañas y las serpientes, juntó los dos trozos, los salpicó una vez con agua bendita, y el cuerpo volvió a unirse; lo salpicó otra vez y la *zarevna* resucitó, más bella aún que antes.

Entonces le dijo el viejo a Iván, el hijo del mercader:

—Quédate tú con la *zarevna* y con los doce barcos, que yo no necesito nada. Vive como un justo, no agravies a nadie, da limosnas a los pobres y rézale al apóstol San Pedro.

Dichas estas palabras, el viejo desapareció.

El hijo del mercader volvió a su tierra y vivió largos años feliz, en compañía de su *zarevna*, sin agraviar a nadie y ayudando siempre a los pobres.

Cuentos de brujas

Un cosaco que iba caminando llegó a una aldea al anochecer. Se detuvo junto a la primera casa y llamó:

—Oye, amo, ¿podría pasar aquí la noche?

—Entra si no le temes a la muerte.

«¿Qué querrá decir con eso?», se preguntaba el cosaco.

Conque dejó el caballo debajo del cobertizo, le echó pienso y entró en la casa. Se encontró con que todos los que allí vivían —hombres, mujeres y niños pequeños— lloraban a lágrima viva mientras le rezaban a Dios. Cuando terminaron de rezar, se pusieron todos camisas limpias.

—¿Por qué lloráis? —preguntó el cosaco.

Contestó el amo de la casa:

—Verás: la muerte viene por las noches a nuestra aldea y cada vez entra en una casa. Luego, ya se sabe: a todos los habitantes de la casa donde ha entrado, no hay más que meterlos en sendos féretros por la mañana y llevarlos al cementerio. Esta noche nos ha tocado a nosotros.

—No temas, hombre: si Dios no quiere, no te come el lobo.

Los dueños de la casa se acostaron; pero el cosaco, que no era tonto, permaneció en vela.

Justo a medianoche se abrió la ventana y apareció una bruja, toda vestida de blanco. Agarró un hisopo, metió el brazo dentro de la casa y, cuando iba a agitar el hisopo, el cosaco empuñó su sable y le cortó el brazo a ras del hombro. La bruja se puso a quejarse, a chillar, a ladrar, y finalmente escapó corriendo.

El cosaco recogió el brazo cortado, lo envolvió en su capote, limpió las manchas de sangre y se acostó a dormir.

Por la mañana se despertó la gente que habitaba en aquella casa y todos se llevaron una gran alegría viendo que estaban sanos y salvos.

—¿Queréis que os enseñe yo quién es la muerte? —preguntó el cosaco—. Pues que se reúnan todos los hombres y vamos a buscarla por la aldea.

Todos los hombres se reunieron al instante y empezaron a recorrer las casas. En una no encontraron nada, en otra tampoco... Hasta que llegaron a la casa del sacristán.

—¿Está aquí presente toda tu familia? —preguntó el cosaco.

—Pues no. Una de mis hijas ha caído enferma y está acostada en el rellano de la estufa.

El cosaco se asomó al rellano de la estufa y vio que la moza aquella tenía un brazo cortado. Entonces explicó a todos lo ocurrido, desenvolvió el brazo y se lo enseñó.

La asamblea del pueblo recompensó al cosaco con dinero y condenó a la bruja a morir ahogada.

* * *

En cierto reino vivía un rey cuya hija era hechicera. En aquella corte vivía también un pope cuyo hijo, de unos diez años, iba todos los días a aprender a leer y escribir a casa de una viejecita.

Una vez volvía de estudiar, ya anochecido, cuando al pasar por delante del palacio se le ocurrió mirar a una ventana. Allí estaba la princesa aseándose. En esto se quitó la cabeza, la enjabonó, la enjuagó con agua clara, luego peinó los cabellos, los trenzó y volvió a colocarse la cabeza en su sitio.

—¡Pero qué cosas! —se admiró el muchacho—. ¡Lo mismo que una hechicera!

Ya en su casa, empezó a contarles a todos que había visto a la princesa sin cabeza. De pronto cayó enferma la hija del rey. Llamó a su padre y le dijo:

—Si me muero, haced que el hijo del sacristán vaya tres noches seguidas a recitar salmos junto a mi féretro.

Murió la princesa y fue llevada en su féretro a la iglesia.

El rey llamó al pope.

—¿Tienes tú un hijo? —le preguntó.

—Sí, majestad.

—Pues que vaya tres noches seguidas a recitar oraciones junto a mi hija.

El sacristán volvió a su casa y le explicó a su hijo lo que debía hacer. Por la mañana, cuando fue a estudiar, el hijo del pope estaba muy triste.

—¿Tienes algún pesar? —le preguntó la viejecita.

—¡Ya lo creo! Como que estoy perdido.

—¿Pues qué te ocurre? Di lo que sea.

—Me ocurre que debo ir a recitar oraciones junto al féretro de la princesa, y ella era una hechicera.

—Eso lo sabía yo antes que tú. Pero no temas. Coge esta navajita, y cuando entres en la iglesia traza un círculo a tu alrededor. Luego ponte a recitar las oraciones sin volver la cabeza.

Pase lo que pase y aunque aparezcan cosas espantosas, tú sigue con tus oraciones.

Aquella noche fue el chico a la iglesia, trazó un círculo a su alrededor y abrió el libro de oraciones. Dieron las doce. La tapa del féretro se levantó y la princesa saltó fuera, gritando:

—Ahora verás lo que ocurre por mirar a mis ventanas y contarle a la gente lo que has visto.

Y se abalanzó una y otra vez sobre el hijo del pope, pero sin poder traspasar la raya que él había trazado. Entonces empezó a hacer que apareciesen cosas espantosas. Pero él, como si tal cosa, continuó sus oraciones sin mirar a ninguna parte.

Cuando empezó a clarear, la princesa corrió a su féretro y se metió dentro de un salto, de cualquier manera.

Lo mismo sucedió a la noche siguiente. El hijo del pope no se dejó asustar y, hasta que amaneció, estuvo recitando oraciones sin parar.

Por la mañana fue a casa de la viejecita.

—¿Has visto muchos horrores?

—Sí, abuelita.

—Pues esta noche será más horrible. Toma este martillo y estos cuatro clavos, para que los claves en las cuatro esquinas del féretro. Y cuando te pongas a recitar las oraciones, sujeta el martillo con el mango hacia ti.

El hijo del pope fue a la iglesia por la noche y todo lo hizo según le había explicado la viejecita. Sonaron las doce, la tapa del féretro cayó al suelo y la princesa salió de él volando. Empezó a ir de un lado para otro amenazando al muchacho. Aquello era aún más horrible que la primera vez.

Le parecía al hijo del pope que había fuego en la iglesia, que las paredes estaban en llamas, pero él siguió con sus oraciones, sin mirar a ninguna parte.

Poco antes del amanecer, la princesa se tiró en su féretro, y al instante desaparecieron todos los horrores y las llamas.

Cuando el rey fue a la iglesia por la mañana vio que el féretro estaba abierto y que su hija yacía en él boca abajo.

—¿Qué es esto? —preguntó al chico, y el hijo del pope se lo contó todo.

El rey ordenó que le clavaran a su hija en el corazón una estaca de pobo y la enterraran en seguida.

En cuanto al hijo del pope, el rey le recompensó con dinero y tierras.

*   *   *

Érase una vieja que era una hechicera espantosa.

Tenía una hija y una nieta.

Cuando le llegó la hora de morir, llamó a su hija y le habló así:

—Escucha, hija mía: cuando me muera, no debes lavar mi cuerpo con agua tibia, sino llenar un caldero de agua, y así que hierva a borbotones, escaldarme toda con ella.

La hechicera duró un par de días aún y luego se murió. La hija fue a casa de unas vecinas a pedirles que la ayudaran a lavar y amortajar a la vieja.

En la casa quedó sola la nieta pequeña. En esto vio salir de debajo de la estufa dos diablos, uno grande y el otro muy pequeñito. Se acercaron corriendo a la hechicera muerta. El diablo grande la agarró de los pies, tiró y le arrancó toda la piel de un golpe. Luego dijo al pequeño:

—Tú agarra la carne y llévatela debajo de la estufa.

El diablo pequeño agarró la carne a brazadas y se la llevó debajo de la estufa. Cuando no quedó más que la piel de la vieja, el diablo se metió dentro y se acostó en el mismo sitio donde antes estaba la hechicera.

Volvió la hija de la hechicera con unas cuantas mujeres para amortajar a la difunta.

—Mamá —dijo la niña—, mientras tú no estabas, le han quitado la piel a la abuela.

—¿Qué mentiras son esas?

—Es verdad, mamá: salió de debajo de la estufa uno así, muy negro, le arrancó la piel y luego se metió él dentro.

—¡Calla, bribona! ¡Pero qué cosas se inventa! —gritó la hija de la hechicera.

Luego trajo un caldero grande, lo llenó de agua, lo puso al fuego y esperó a que hirviera a borbotones. Las mujeres alzaron a la vieja, la acostaron en una artesa y le vertieron encima toda el agua hirviendo de golpe.

El diablo no pudo soportarlo, se tiró abajo de la artesa, corrió a la puerta y desapareció con piel y todo.

Las mujeres se quedaron como quien ve visiones: ya no tenían a quien amortajar ni a quien enterrar. Los demonios se la habían llevado delante de sus propios ojos.

La muerte del avaro

Érase un viejo muy avaro y muy roñoso. Tenía dos hijos y mucho dinero.

Al notar que se aproximaba su muerte, se encerró él solo en su casa, se sentó en un baúl y empezó a tragarse las monedas de plata y a devorar los billetes. Y así se murió.

Llegaron los hijos, colocaron al difunto debajo de los santos iconos y llamaron al diácono para que recitara las oraciones.

A medianoche se presentó de pronto el demonio con forma humana, levantó al difunto por los hombros y le dijo al diácono:

—¡Agárrale tú de los pies!

Y empezó a zarandear al viejo.

—El dinero para ti y el saco para mí —gritó luego, y se hizo invisible.

El violinista en el infierno

Érase un campesino que tenía tres hijos. Vivía bien acomodado y había juntado dos calderos de monedas. Uno lo enterró en el granero y el otro debajo del portón.

Murió el campesino sin decirle a nadie nada del dinero.

Una vez que había fiesta en la aldea, iba un violinista por la calle para tocar en ella cuando, de repente, se lo tragó la tierra. Se lo tragó la tierra y fue a parar al infierno, precisamente en el sitio donde estaba purgando sus culpas el rico campesino.

—¡Hola, hombre! Yo a ti te conozco —dijo el violinista.

—A mal sitio has venido a parar —contestó el campesino—. Esto es el infierno y yo estoy en el infierno.

—¿Y por qué razón estás aquí?

—Por culpa del dinero. Yo tenía mucho dinero. Nunca le di limosna a un pobre. Antes de morir, enterré dos calderos llenos de monedas. Y ahora empezarán a atormentarme, a apalearme, a despedazarme con sus garras...

—¿Y qué hago yo? Son capaces de atormentarme a mí también.

—Mira: escóndete encima de la estufa, detrás de la chimenea, y pásate tres años sin comer. Así te salvarás.

El violinista se escondió detrás de la chimenea. Llegaron los demonios y se pusieron a golpear al rico campesino.

—Toma, toma, ricachón —decían al pegarle—. Después de juntar tanto dinero, no has sido capaz de esconderlo en un sitio adecuado. Lo has enterrado donde nosotros no lo podemos sacar. Por el portón están entrando constantemente carros y las caballerías nos tienen las cabezas machacadas con sus cascos y, en el granero, nos atizan con sus mayales los trilladores.

Apenas se alejaron los demonios, le dijo el campesino al violinista:

—Si logras escapar de aquí, diles a mis hijos que saquen el dinero: un caldero está enterrado debajo del portón y otro en el granero. Y que lo repartan entre los pobres.

Luego acudieron muchos demonios y le preguntaron al rico campesino:

—¿Cómo es que huele aquí a ruso?

—Será que, como habéis andado por Rusia, os ha quedado a vosotros el olor —contestó el campesino.

—¡Qué va!

Empezaron a buscar, dieron con el violinista y gritaron:

—¡Ja, ja! ¡Pero si hay aquí un violinista!

Le echaron abajo de la estufa y le obligaron a tocar el violín. Tres años se pasó tocando, y a él le parecieron tres días. Rendido ya, dijo:

—¡Qué cosa tan rara! A veces, con una velada que estuviera tocando, reventaba todas las cuerdas. Ahora, en cambio, llevo tres días tocando y no se ha roto ninguna. ¡Alabado sea Dios!

No había terminado de hablar cuando saltaron todas las cuerdas.

—Amigos —les dijo entonces a los diablos—: ya veis que han saltado todas las cuerdas. No puedo seguir tocando.

—Aguarda —dijo uno de los demonios—: yo tengo dos mazos de cuerdas. Ahora te las traeré.

Efectivamente, las trajo al momento. El violinista las puso en su sitio y no hizo más que decir: «¡Alabado sea Dios!», cuando también reventaron.

—Estas cuerdas vuestras no me sirven, amigos. Yo tengo otras en mi casa. Dejadme que vaya a buscarlas.

Pero los demonios no querían dejarle marchar.

—Te escaparás —decían.

—Bueno, pues si no me creéis, que venga alguno de vosotros conmigo.

Los diablos eligieron a uno de ellos para que acompañara al violinista. El violinista llegó a la aldea y oyó que en la primera casa estaban de boda.

—Vamos a entrar —le propuso al diablo.

—Bueno.

Entraron en la casa. Al reconocer al violinista, todo el mundo empezó a preguntarle:

—¿Dónde has andado estos tres años, muchacho?

—En el otro mundo.

Estuvieron allí un rato divirtiéndose y el diablo le dijo al violinista:

—Ya es hora de volver.

—Espera todavía un poco. Deja que toque el violín en honor de los recién casados.

Allí estuvieron hasta que cantaron los gallos y el diablo desapareció. Entonces les explicó el violinista a los hijos del rico campesino:

—Vuestro padre os manda sacar el dinero (un caldero está enterrado debajo del portón y el otro en el granero) y repartirlo entre los pobres.

Conque desenterraron los dos calderos y empezaron a repartir el dinero entre los pobres. Pero cuantas más monedas repartían, más monedas aparecían.

Terminaron colocando aquellos dos calderos en una encrucijada para que todo el que pasara por allí se llevara un puñado de monedas. Pero el dinero no mermaba.

Fueron a presentarle humildemente un escrito al zar diciendo lo que ocurría. Y él encontró la solución. Porque el caso es que había una ciudad a la que solo se podía llegar dando un rodeo de cincuenta verstas, aunque en línea recta solo distaba cinco de la capital. De manera que el soberano mandó construir un puente recto de cinco verstas, y en esa obra se invirtió todo el contenido de los calderos.

Precisamente por entonces una muchacha soltera dio a luz un niño y lo dejó abandonado. La criatura se pasó tres años sin comer ni beber, acompañado siempre por un ángel de Dios. Un día llegó ese niño al puente y exclamó:

—¡Qué puente tan hermoso! Dios conceda el reino de los cielos a la persona que dio el dinero para construirlo.

Dios escuchó esta plegaria y mandó a sus ángeles que dejaran salir del infierno al rico campesino.

El alfarero

Iba de camino un alfarero, cuando se encontró con un hombre.

—¿No podrías tomarme de operario? —preguntó el hombre.

—¿Sabes tú hacer pucheros?

—¡Pues claro que sí!

Concertaron el trato, se dieron la mano y continuaron el camino juntos. Llegaron a casa del alfarero y dijo el nuevo operario:

—Prepara cuarenta carretadas de arcilla, mi amo, y mañana pondré manos a la obra.

El amo preparó las cuarenta carretadas de arcilla. Pero el operario, que era el propio diablo, habló así:

—Yo trabajaré por las noches. Y tú no debes entrar en el cobertizo donde yo trabaje.

—¿Y eso por qué?

—Pues porque no. Y si entras, peor para ti.

Se hizo de noche. A las doce en punto pegó una voz el demonio, y al instante acudieron muchos diablejos que se pusieron a hacer pucheros atronando la casa de tanto alboroto como armaron.

—Iré a ver lo que hace —dijo el amo muerto de curiosidad.

Se acercó al cobertizo, miró por una rendija y vio a todos los diablejos, en cuclillas, haciendo pucheros. Solamente uno de ellos, cojo, no trabajaba, sino que estaba vigilando. En esto descubrió al alfarero. Agarró un puñado de arcilla y se lo lanzó con tanta puntería que le acertó en un ojo.

Conque el alfarero volvió a su casa tuerto, mientras en el cobertizo aumentaba el estrépito.

Por la mañana dijo el operario:

—Mi amo: ve a contar los pucheros que he hecho en una noche.

El alfarero contó cuarenta mil pucheros.

—Ahora prepara diez carretadas de leña, porque esta noche coceré los pucheros.

A medianoche volvió a pegar una voz el demonio, acudieron diablejos de todas partes, rompieron hasta el último puchero, metieron los cascotes en el horno y se pusieron a cocerlos.

«¡Todo el trabajo perdido!», pensó el alfarero, que estaba mirando por una rendija después de trazar la señal de la santa cruz encima.

Pero al día siguiente le llamó el operario:

—Ven a ver qué te parece el trabajo.

El alfarero fue a ver, y allí estaban los cuarenta mil pucheros intactos, y a cuál mejor.

A la tercera noche llamó el demonio a los diablejos, que pintaron los pucheros de distintos colores y los cargaron todos en un carro.

Esperó el alfarero a que fuese día de mercado y llevó los pucheros a la ciudad para venderlos.

Entre tanto, el demonio había ordenado a sus diablejos que recorrieran todas las casas y todas las calles voceando los pucheros para que la gente los comprara.

Efectivamente, la gente acudió al mercado, rodeó al alfarero y en media hora se habían agotado los pucheros. El alfarero volvió a su casa con un saco de dinero.

—Ahora —le dijo el diablo— vamos a partir las ganancias.

Conque partieron las ganancias por la mitad. El demonio agarró su parte, se despidió del alfarero y desapareció.

Una semana después fue el hombre con otros pucheros a la ciudad, pero se pasó las horas muertas en el mercado sin que nadie le comprara nada. Al contrario: todos pasaban de largo y además le insultaban.

—¡Demasiado sabemos cómo son tus pucheros, viejo bribón! Muy bonitos de vista, pero se deshacen en cuanto les echan agua dentro. ¡Quia, hombre! No vas a engañarnos más.

Todos dejaron de comprarle pucheros y el hombre cayó en la miseria. De la pena se entregó a la bebida y acabó rodando de taberna en taberna.

La viuda y el diablo

Érase un campesino que tenía una mujer muy hermosa. Los dos se amaban profundamente y vivían en paz y armonía. Pero, al cabo de un tiempo, falleció el marido. La pobre viuda le enterró y se quedó muy triste, llorando y añorándole.

Tres días y tres noches se había pasado anegada en llanto cuando, justo a medianoche, se le apareció el diablo en la figura de su marido.

Loca de alegría, la mujer corrió a sus brazos y preguntó:

—¿Cómo has venido?

—Pues al enterarme de que me llorabas tan amargamente, pobrecita, pedí permiso y aquí estoy.

Se acostó a dormir con ella, pero desapareció como el humo en cuanto cantaron los gallos por la mañana. Así estuvo visitándola el diablo un mes, luego otro... Ella no se lo contaba a nadie, pero cada día iba consumiéndose más, como una vela encendida.

En esto vino a visitarla su vieja madre y, al verla, le preguntó:

—¿Cómo estás tan consumida, hija mía?

—De la alegría, madre.

—¿De qué estás hablando?

—Es que mi difunto esposo viene a verme por las noches.

—¡Tú eres tonta! ¡Qué va a ser tu marido! ¡Ese es el diablo!

La hija se resistía a creerla.

—Bueno, pues mira lo que te digo. Esta noche, cuando venga y se siente a la mesa, tú deja caer una cuchara al suelo. Al agacharte para recogerla, mírale a los pies.

La viuda siguió el consejo de su madre. La primera noche que se presentó el diablo, dejó caer una cuchara debajo de la mesa. Al agacharse para recogerla, le miró a los pies y vio que le asomaba el rabo entre ellos.

Acudió la madre al día siguiente.

—¿Qué me dices, hija? ¿Tenía yo razón?

—¡Sí, *mátushka*! ¿Y qué hago yo ahora, desdichada de mí?

—Vamos a ver al pope.

Fueron a casa del pope y se lo contaron todo. El pope se puso entonces a rezar por la viuda hasta que, al cabo de tres semanas, logró que la dejara en paz el diablo.

El silvano

La hija de un pope se marchó un día a pasear por el bosque sin pedir permiso a nadie. Y no se volvió a saber de ella. Transcurrieron tres años.

En la misma aldea donde vivían sus padres había un cazador muy audaz que cada día de Dios andaba por los bosques oscuros con su perro y su escopeta.

Una vez, en el bosque, su perro de pronto empezó a ladrar con todo el pelo erizado. Entonces vio el cazador que había un tocho en medio del sendero y, sentado en el tocho, un hombre remendando un *lápot* al tiempo que decía en tono de amenaza:

—¡Alumbra, luna clara, alumbra!

El cazador se sorprendió de que, siendo todavía joven, el hombre aquel tuviera el cabello blanco. El hombre pareció adivinarle el pensamiento.

—Si tengo blanco el cabello es porque soy del diablo abuelo.

Comprendió el cazador que no se trataba de un hombre como todos, sino de un silvano. Se echó la escopeta a la cara, apuntó, ¡pum!, y le pegó en la barriga. El silvano lanzó un gemido, casi dio la vuelta por encima del tocho, pero en seguida se incorporó y se adentró en la espesura. El perro corrió detrás y el cazador detrás del perro.

Anda que te anda, llegó hasta una montaña. En la montaña había una cueva y en la cueva una casita. Entró el cazador en la casita y vio al silvano tendido encima de un banco, ya muerto, y a su lado una muchacha que se lamentaba llorando:

—¡Ay! ¿Quién me alimentará a mí ahora?

—Hola, buena moza —saludó el cazador—. ¿Quién eres y de dónde?

—¡Ay! Ni yo misma podría decirlo. Me parece que no he estado nunca al aire libre ni he conocido a mi padre ni a mi madre...

—Salgamos pronto de aquí y yo te llevaré hasta la santa Rus.

El cazador se llevó a la muchacha, y mientras caminaban por el bosque iba haciendo señales en los árboles.

Resulta que a la moza la había robado el silvano, en cuya casa pasó tres años enteros. Tenía la ropa hecha jirones, dejando ver el cuerpo por todas partes, pero ella no sentía vergüenza.

Llegaron a la aldea y el cazador se puso a indagar por las casas si no había desaparecido alguna muchacha. Hasta que llegó donde el pope, y este gritó:

—¡Es mi hija!

Acudió también la madre.

—¡Hijita mía querida! ¿Dónde has estado tanto tiempo? Yo pensaba que no volvería a verte nunca.

La hija lo miraba todo como alelada, sin entender nada. Solo al cabo de un rato comenzó a recobrarse poco a poco.

El pope y su mujer casaron a la hija con el cazador, a quien hicieron muchos regalos.

La gente se fue a buscar la casita del silvano donde había vivido, pero no la encontraron por mucho que batieron el bosque.

Cuentos de sueños

É ranse un viejo y su mujer. Llamó un sirgador a su puerta y pidió albergue para la noche. El viejo le dejó entrar.

—Pasa si quieres, pero con la condición de que estés toda la noche contando cuentos.

—De acuerdo.

Conque el viejo y el sirgador se tumbaron en la litera mientras la vieja hilaba, sentada en el rellano de la estufa.

«Voy a gastarle una broma», pensó el sirgador, y él se convirtió en lobo y convirtió al viejo en oso.

—Vámonos de aquí —dijo luego, y echaron a correr hacia el campo.

En esto, vio el lobo a la yegua del viejo y dijo:

—Vamos a comernos esta yegua.

—No, que es la mía.

—Sí, claro, pero el hambre no repara en nada.

Se comieron la yegua y siguieron corriendo. En esto vieron a una vieja, que era la mujer del viejo, y otra vez dijo el lobo:

—Vamos a comernos a esta vieja.

—¡Pero si es la mía! —protestó el oso.

—¡Qué va, hombre!

Y se comieron a la vieja. De esta manera se pasaron el oso y el lobo todo el verano. Llegó el invierno.

—Tenemos que buscar una guarida —dijo el lobo—. Tú te metes al fondo y yo me quedaré cerca de la entrada. Si nos encuentran los cazadores, dispararán primero contra mí. Pero tú estate alerta. Cuando me hayan matado y empiecen a desollarme, sal tú corriendo, pega una voltereta por encima de la pelleja y recobrarás tu forma humana.

Así estuvieron agazapados en su guarida hasta que dieron con ellos unos cazadores, mataron al lobo y empezaron a desollarle. Inmediatamente salió el oso, pegó una voltereta por encima de la piel del lobo... ¡y allá fue el viejo, cayéndose desde la litera de cabeza!

—¡Ay, ay! —gimió—. ¡Me he partido la espalda!

—¿Pero qué te pasa, maldito inútil? —gritó la vieja—. ¿Cómo te has caído? ¡Ni que estuvieras borracho!

—¡Pero si tú no sabes lo que nos ha pasado! —replicó el viejo—. El sirgador y yo nos habíamos convertido en animales: él era un lobo y yo un oso. Hemos andado todo el verano y el invierno por ahí. Nos hemos comido nuestra yegua, y también a ti te hemos comido, vieja...

La vieja se echó a reír con todas sus ganas:

—¡Vaya con el sirgador! ¡Qué bromas tiene!

*   *   *

En cierto reino, en cierto país, vivía un marinero que servía con toda fidelidad al zar y era muy honrado. De manera que sus superiores le conocían.

Una vez pidió licencia para bajar a tierra. Se puso su uniforme y fue a una taberna. Allí encargó todo lo que quiso y se puso a comer y a beber tan tranquilo. Había hecho ya lo menos diez rublos de gasto, pero él seguía pidiendo: ahora esto, ahora lo otro...

—Escucha, marinero —le dijo el mozo—: estás pidiendo muchas cosas. ¿Tendrás dinero para pagar?

—¿Te preocupa eso, muchacho? Pero si a mí me sobra el dinero...

Al instante sacó del bolsillo una moneda de oro, la tiró sobre la mesa y dijo:

—Toma. Cóbrate.

El camarero tomó la moneda, hizo la cuenta de todo y le llevó el cambio.

—Deja, muchacho —rechazó el marinero—. Quédate con eso de propina.

Al día siguiente pidió de nuevo licencia el marinero, fue a la misma taberna y se gastó otra moneda de oro. Al tercer día ocurrió

lo mismo, y desde entonces siguió yendo a diario, pagando con monedas de oro y dejándole la vuelta al camarero de propina.

Aquello le llamó la atención al tabernero y empezó a pensar:

—¿Qué significa esto? ¡Un marinerillo de nada tirando el dinero como si tal cosa! Tengo una caja entera de monedas suyas. La paga que les dan, yo lo sé muy bien, no da para esto. Seguro que ha metido mano en la caja de su unidad. Tendré que comunicárselo a sus superiores, no vaya a verme yo envuelto en un lío que me lleve a Siberia.

Conque el tabernero denunció al soldado a un oficial y este llevó el asunto hasta el general. El general ordenó que se presentara el marinero.

—Confiesa sin rodeos de dónde has sacado ese oro.

—Oro como ese se encuentra en cualquier basurero.

—¿Qué mentira es esa?

—No es mentira, excelencia. El que miente no soy yo, sino el tabernero. Dígale que enseñe el oro con que yo le he pagado.

Trajeron la caja, la abrieron, y estaba llena de tabas.

—Conque pagabas con oro y ahora resulta que eran tabas, ¿eh? Bueno, pues enséñanos cómo lo has conseguido...

—Excelencia, excelencia... Creo que vamos a morir...

Miraron a su alrededor y vieron que estaba entrando agua a raudales por las ventanas y las puertas. El agua subía y subía y les llegaba ya a la garganta.

—¡Dios mío! ¿Qué hago yo ahora? ¿Dónde me meto? —preguntaba el general asustado.

—Si no quiere ahogarse, excelencia —contestó el marinero—, métase detrás de mí por la chimenea.

Treparon por la chimenea, salieron al tejado, miraron hacia todas partes y vieron que la ciudad entera estaba inundada. Era tal la inundación, que en los lugares bajos no se veían siquiera las casas. Y el agua continuaba subiendo.

—Hermano —dijo el general—, me parece que no nos salvaremos.

—Sea lo que Dios quiera.

«Ha llegado mi hora», pensaba el general rezando, más muerto que vivo.

De pronto, apareció como por ensalmo una lancha que pegó contra el tejado y se detuvo allí mismo.

—Excelencia —dijo el marinero—: suba en seguida en la lancha y alejémonos de aquí. Quizá nos salvemos si baja el agua.

Subieron los dos a la lancha, y el viento los empujó sobre el agua. Así bogaron un día, luego otro..., hasta que al tercero el agua empezó a bajar a tal velocidad que era difícil imaginarse dónde habría ido a parar. Todo en torno quedó seco.

El marinero y el general se apearon de la lancha, les preguntaron a unas buenas gentes cómo se llamaba aquella región y si habían ido a parar muy lejos.

Resultó que habían ido a parar a los confines de la tierra, al más lejano de los reinos. Se encontraban en medio de gente extraña, desconocida. ¿Qué hacer? ¿Cómo regresar a su país? Estaban sin dinero, no tenían con qué alimentarse.

—Hay que ponerse a trabajar y ganar algún dinero —dijo el marinero—. De lo contrario, no podemos ni pensar en volver a casa.

—Eso se dice muy pronto tratándose de ti, que estás acostumbrado de siempre a trabajar. ¿Pero y yo? Demasiado sabes que soy general y no he aprendido a trabajar.

—No importa. Ya encontraré yo algún trabajo que no exija conocimientos especiales.

Fueron a una aldea a ofrecerse para el pastoreo. La asamblea de los aldeanos los admitió y los contrató para todo el verano: al marinero de pastor y al general de zagal.

De modo que estuvieron pastando al rebaño de aquella aldea hasta el otoño. Luego les cobraron lo convenido a los aldeanos y se pusieron a repartirse el dinero. El marinero dividió la paga en dos: tanto para él y otro tanto para el general.

Viendo el general que el marinero se quedaba con la misma cantidad que él, lo tomó muy a mal.

—¿Cómo eres capaz de igualarme a ti, siendo yo general y tú un simple marinero?

—¡Demasiado favor le hago! Lo que debía haber hecho es dividir la paga en tres partes, quedarme yo dos y darle a usted una sola, puesto que yo he hecho de pastor de verdad y usted sólo de zagal.

El general se enfadó mucho, le llamó miles de cosas al marinero... El marinero aguantó, aguantó, hasta que le atizó en un costado:

—¡Excelencia! ¡Despierte, excelencia!

El general abrió los ojos y se encontró con que no había cambiado nada: continuaba en su despacho, de donde no se había movido.

Suspendió el juicio contra el marinero, dejándole marchar sin más. En cuanto al tabernero, tuvo que volver a su casa como había venido.

* * *

En cierto reino, en cierto país, vivía el zar Aguéi. Este zar tenía barcos que iban a combatir a otros países y, de pronto, fueron atacados por un enemigo muy fuerte y poderoso.

En uno de los barcos navegaba por entonces Iván el sirgador. Viendo que estaban a punto de ser vencidos, se agarró al mástil, condujo al barco por debajo del agua cosa de una versta apartándose del enemigo, y volvió a emerger.

Informado el zar de lo sucedido, le dio licencia absoluta. Conque el sirgador era libre de marchar por todo el reino adonde quisiera, oyendo en todas partes grandes encomios a su valor, sí, pero sin un céntimo en el bolsillo. Y no solo carecía de dinero, sino que tampoco tenía techo ni hogar donde refugiarse en la noche oscura o guarecerse de la lluvia.

Encontró hospedaje a su conveniencia en casa de un soldado licenciado y entabló trato con él:

—Yo sólo vendré por las noches. Durante el día saldré a ganarme el pan. Tú lo único que debes hacer es cobrarme un rublo por noche.

El soldado, que no andaba sobrado de dinero, se puso loco de contento. Y se le ocurrió comprarse un cofrecillo, cerrarlo muy bien cerrado, hacerle un agujero en la tapa y echar por allí las monedas para que estuvieran seguras.

Como lo pensó, así lo hizo. Según le daba el sirgador las monedas noche tras noche, él iba echándolas todas en el cofrecillo. «Tiene que haber ya mucho dinero —se dijo una vez—. Ha pasado bastante tiempo. Veré cuántos rublos se han juntado. La verdad es que este sirgador mío debe de ser tonto: no come ni bebe aquí y me trae una moneda cada noche. ¿De dónde sacará el dinero?».

Abrió el soldado el cofrecillo, y... ¡ni rastro de dinero! Allí no había más que unas astillas.

Entonces se entabló una gran discusión entre el patrón y el huésped. Uno juraba y perjuraba que había pagado en monedas de pura plata, y el otro protestaba:

—¡Valiente timador! De haberlo sabido, no te habría admitido. Resulta que todo este tiempo has estado hospedándote de balde. ¿Con qué cara miro yo ahora a la gente?

Finalmente el soldado fue a los tribunales a pedir justicia. Los jueces le dieron vueltas y más vueltas al asunto sin encontrarle solución, hasta que ordenaron maniatarlos a los dos y hacerles comparecer ante el zar.

El zar Aguéi le preguntó al soldado en qué moneda había cobrado y dónde guardaba el dinero.

—Yo he venido cobrando en monedas corrientes de plata y las guardaba en un cofrecillo para que no se extraviaran.

El zar Aguéi se echó a reír. Mandó traer inmediatamente el cofrecillo. Lo trajeron, lo abrieron, miraron... y allí estaban todas las monedas, tan relucientes como si acabaran de acuñarlas.

El zar Aguéi se indignó con el soldado.

—¿Por qué has difamado de esa manera al sirgador? —gritó.

Y ordenó que le ataran para ser azotado. A Iván el sirgador le dio pena del soldado y rogó al zar que no lo castigara.

—Ha sido una broma que le he gastado —dijo.

—¿Tú puedes gastar bromas de esas? —preguntó el zar.

—Sí, majestad.

—Bueno, pues gástame una a mí.

—Lo haría de buena gana, pero temo lo que pueda pasarme.

—No te pasará nada. Te lo juro por San Nicolás.

El sirgador hizo que el palacio se llenara al instante de agua. Los senadores se llevaron un susto espantoso y casi lloraban pensando que iban a morir ahogados. En eso llegó flotando una barca.

—Zar Aguéi —dijo Iván el sirgador—: vamos a dar un paseo en esta barca.

Montaron en la barca y el viento los arrastró mar adentro. Entonces estalló una tempestad tan fuerte que estuvieron mareados no sé cuánto tiempo. Al cabo fue amainando el temporal y la barca se vio empujada hacia una isla. El zar saltó a tierra, dio dos o tres pasos, miró hacia atrás y se encontró con que habían desaparecido tanto la barca como Iván el sirgador.

«¿Qué hago yo ahora?», se preguntó el zar Aguéi, y echó a andar por la orilla. Al cabo de mucho caminar llegó a una gran ciudad. Vio a una mujer que llevaba un cordero asado para venderlo y le pidió:

—¿No podrías tomarme a tu servicio, buena mujer? Si te parece, llevaría yo la carne.

—¿Y qué salario quieres?

—Me basta con que me asegures el pan.

La mujer aceptó, y juntos fueron andando por la ciudad.

A fuerza de caminar cargado con el asado, le entraron al zar ganas de probarlo. Arrancó un trozo y le hincó el diente. Al instante se vio rodeado de gente que le preguntaba:

—¿Qué estás comiendo?

—Cordero asado.

—¿Cordero, dices? Esto es un brazo humano. ¡Pero si este hombre es un ogro!

Lo agarraron, lo ataron de pies y manos y lo metieron en la cárcel. Luego fue juzgado y condenado a la pena de muerte.

De manera que lo condujeron al cadalso, le hicieron poner la cabeza sobre el tajo, el verdugo empuñó el hacha, la levantó en alto...

—¡Ay! —gritó el zar Aguéi.

Los senadores pegaron un bote en sus asientos.

—¿Le sucede algo a vuestra majestad?

—¡Ya lo creo que me sucede! Como que el verdugo ha estado a punto de cortarme la cabeza.

—¡Qué dice vuestra majestad! ¿A qué verdugo se refiere? Os encontráis en vuestro palacio, en vuestra sala del trono, y nos habéis reunido a todos para juzgar a Iván el sirgador.

—¡Ah! Conque estás aquí, maldito, ¿eh? —exclamó el zar Aguéi furioso—. Si no hubiera jurado por San Nicolás, te mandaría ahorcar. ¡Fuera de mi reino, y que no vuelva a oír hablar de ti!

Y al instante se difundió por todo el reino la orden de que nadie diera albergue a Iván el sirgador en su casa. De modo que anduvo mucho tiempo de un lado para otro sin encontrar alojamiento. Fue llamando por todas las casas, pero en ninguna le dejaron entrar.

Así llegó el sirgador a una aldea y llamó en casa de un campesino para que le dejara entrar.

—Lo tiene prohibido el zar —contestó el campesino.

—Pero, hombre...

—Ya te digo que está prohibido. Si acaso te dejara entrar, sería a cambio de que me contaras un cuento. Me gustan mucho los cuentos.

—Bueno, pues te contaré un cuento.

El campesino le admitió en su casa, le ofreció comida y bebida... Luego se tumbaron en las literas.

—Venga, cuenta el cuento —exigió el campesino a Iván el sirgador.

Pero este le contestó:

—Oye, ¿tú te has mirado?

El campesino se fijó y vio que se había convertido en un oso.

—Pues mírame a mí: estoy igual.

—¿Y qué hacemos ahora? Porque, viéndonos así, nos pueden matar.

—Es muy posible.

Detrás de la litera había una ventana. Por allí hizo salir Iván el sirgador a su compañero, luego saltó él y escaparon al bosque. Pero los vieron unos cazadores y se lanzaron detrás.

—¿Qué hacemos? —preguntó el campesino.

—Tú métete en el agujero de ese roble y yo me quedaré al lado. Si nos alcanzan los cazadores, a mí me matarán y me desollarán. Tú, entonces, sal en seguida del agujero, pega una voltereta por encima de la pelleja y recobrarás tu forma humana.

No había terminado de hablar cuando aparecieron los cazadores, mataron al oso, lo desollaron y bajaron al río a lavarse las manos.

El campesino vio que se habían alejado, salió de su agujero, pegó una voltereta... ¡y allá fue de la litera al suelo! Se hizo mucho daño y rezongó:

—¡Razón tenía el zar Aguéi al ordenar que no te dejaran entrar en ninguna parte!

Mientras, Iván el sirgador gritaba desde la litera:

—Parece que te habías quedado dormido como un tronco, ¿eh?

—¿Pero dónde estás, maldito? ¿No te habían matado y desollado?

—¡Quia, hombre! Estoy vivo y tengo la pelleja entera.

El campesino, entonces, le echó de su casa de mala manera.

Iván el sirgador anduvo todavía dando vueltas de un lado para otro, hasta que terminó marchándose a otro reino.

Tal para cual

Pasaba un soldado por una aldea y le pidió albergue a un campesino para la noche.

—Yo te admitiría de buena gana, soldado —contestó el campesino—, pero estamos en vísperas de boda y no tengo lecho que ofrecerte.

—Eso no importa. Un soldado duerme en cualquier parte.

—Bueno, pues entra.

El soldado vio que el campesino tenía el caballo enganchado al trineo y le preguntó:

—¿Adónde vas?

—Voy donde el hechicero, porque es costumbre que, cuando se celebra una boda, se le lleve un regalo. Ni el más pobre sale por menos de veinte rublos. Y el que es rico, hasta más de cincuenta tiene que largarle. Y como no le lleven el regalo, echa a perder toda la boda.

—Escucha, hazme caso: no le lleves nada y verás como todo sale bien.

Le hablaba con tanta convicción que el campesino le hizo caso y no le llevó el regalo al hechicero.

Conque llegó el momento de la boda, y todos montaron en los trineos para acompañar a los novios al altar. Iba el cortejo por el camino, cuando apareció un toro que se lanzó contra los trineos bufando y escarbando la tierra con los cuernos. Todos los del cortejo se llevaron un susto tremendo; pero el soldado como si tal cosa.

De pronto, no se sabe cómo, salió de entre sus piernas un perro que se abalanzó contra el toro, le clavó los colmillos en la garganta, y el toro se desplomó.

Siguieron adelante y apareció un oso tremendo frente al cortejo.

—No temáis —gritó el soldado—. Yo no consentiré que ocurra nada.

También esa vez salió de pronto un perro, no se sabe cómo, de entre sus piernas, se abalanzó sobre el oso, y se puso a ahogarlo. El oso pegó un rugido y se murió.

Pasado este mal rato, el cortejo reanudó su marcha, y en esto apareció una liebre y cruzó el camino casi bajo los cascos de los caballos que tiraban del primer trineo. Los caballos se detuvieron, relinchando y negándose a avanzar.

—¡Déjate de tonterías! —le gritó el soldado a la liebre—. ¡Luego hablaré yo contigo!

Y al instante reanudó su marcha el cortejo. Llegaron sin inconveniente a la iglesia, se desposaron los novios y todos emprendieron el regreso a la aldea. Al aproximarse a la casa vieron que se había posado un cuervo encima del portón, croando tan fuerte que los caballos se detuvieron de nuevo sin querer dar un paso ninguno.

—¡Déjate de tonterías, cuervo! —le gritó el soldado—. Más tarde hablaremos tú y yo.

El cuervo partió volando y los caballos entraron por el portón.

Los recién casados fueron conducidos hasta la mesa, los invitados y los parientes también tomaron asiento, cada cual según el lugar que le correspondía, y todos empezaron a comer, a beber y a divertirse.

A todo esto, el hechicero estaba furioso: no le habían hecho ningún obsequio, y cuando él intentó meter miedo a la gente, no lo consiguió. De manera que se personó en la casa y, sin quitarse el gorro, sin santiguarse delante de las imágenes ni saludar a la buena gente allí reunida, le dijo al soldado:

—Estoy muy enfadado contigo.

—¿Y por qué, si puede saberse? Ni te debo ni me debes. ¿No sería mejor que echáramos unos tragos y nos divirtiéramos?

—¡Venga!

Agarró el hechicero un jarro de cerveza de encima de la mesa, llenó un vaso y se lo presentó al soldado.

—¡Bebe, muchacho!

El soldado apuró el vaso y todos los dientes se le cayeron dentro.

—Esto no puede ser —exclamó el soldado—. ¿Qué hago yo sin dientes? ¿Cómo voy a roer los *sujari**?

Agarró los dientes, se los echó a la boca y todos volvieron a colocarse en su sitio.

—Ahora me toca a mí invitarte. Bébete este vaso de cerveza.

El hechicero apuró el vaso y se le saltaron los ojos. El soldado los agarró y los tiró donde nadie pudiera encontrarlos.

El hechicero se quedó ciego para siempre, y juró no asustar ya nunca a la gente ni hacerle más jugarretas.

En cuanto a los vecinos de aquel lugar, nunca olvidaron al soldado en sus plegarias.

La adivinadora

En cierto reino vivía un *barin*. Aquel *barin* tenía un lacayo y un cochero. Al lacayo le habían puesto de mote Carne y al cochero Hueso.

En una ocasión le robaron al *barin* unas perlas. Fue a mirar en el baúl, y habían desaparecido las perlas. Llamó a todos sus criados.

—¿Las habéis robado vosotros? —preguntó.

—No, no. Nosotros no sabemos nada.

—¡Allá vosotros! Pero voy a llamar ahora mismo a una adivinadora, y como ella lo descubra y os denuncie a vosotros, lo vais a pasar mal.

Conque mandó el *barin* a buscar a una vieja adivinadora.

—Hola, abuela —le dijo cuando la trajeron—. Me han desaparecido unas perlas muy valiosas y quiero que eches las cartas para ver dónde han ido a parar.

—Está bien, *barin*. Se lo preguntaré a las cartas. Pero manda primero que calienten el baño para asearme después del viaje.

Calentaron el baño, entró la vieja, y mientras se relajaba tan a gusto con el vapor, decía entre dientes:

—Ahora verán lo que es bueno mi carne y mis huesos...

El lacayo y el cochero, que se habían quedado cerca de la ventana para oír lo que decía, la oyeron y les pareció que se refería a ellos.

—¡La maldita vieja se ha enterado ya de todo! —dijo el cochero—. ¿Qué hacemos ahora?

En cuanto vieron salir a la vieja del baño, corrieron a ella.

—Abuelita querida, no le digas al *barin* que hemos sido noso-tros.

—¿Y dónde están las perlas? ¿Las tenéis todavía?

—Sí, abuela, sí.

—Bueno, pues vais a meter cada perla en una miga de pan y a darle las migas al ganso gris para que se las coma.

Dicho y hecho. Luego fue la vieja a ver al *barin*.

—¿Qué? ¿Te has enterado ya, abuela?

—Claro que sí, hijo mío.

—¿Quién es el culpable?

—El ganso gris que anda por el corral. Como tenéis las venta-nas abiertas, él se metió por una y se tragó las perlas.

El *barin* ordenó que cazaran al ganso gris y lo degollaran. Lo agarraron, lo degollaron y en el buche le encontraron las perlas. El *barin* agradeció sus servicios a la adivinadora, la invitó luego a co-mer y, para gastarle una broma, mandó que sirvieran una urraca asada. «A ver si se da cuenta la vieja», pensó.

Se sentaron a la mesa, presentaron la urraca asada, y precisa-mente entonces estaba diciendo la vieja mirando a su alrededor:

—Con tanto lujo en la casa, debo parecer una urraca.

—¡Pero qué lista! ¡Todo lo adivina!

Concluido el almuerzo, el *barin* mandó enganchar un carruaje que la llevara a su casa y metió unos huevos dentro para reírse si los aplastaba.

Al subir la vieja al carruaje dijo entre dientes:

—Aquí habrá que sentarse como sobre huevos.

El *barin* se sorprendió mucho al ver que la vieja adivinaba y lo descubría todo. Le pagó un buen dinero por sus servicios y la dejó marchar sin más.

El curandero

Érase un hombrecillo, pobre pero muy pillo, a quien sus paisanos habían puesto de apodo Saltamontes. Una vez le robó a una mujer una pieza de lienzo, la escondió en un pajar y luego hizo correr la voz de que él era adivino. Vino a verle la mujer y le pidió que consultara las cartas por si descubría dónde estaba la pieza de tela.

—¿Y cómo me pagarás?

—Te daré un *pud** de harina y una libra de manteca.

—De acuerdo.

Extendió las cartas y, después de mucho pensarlo, le dijo dónde encontraría la pieza de tela.

A los dos o tres días le desapareció un potro al *barin*. En realidad, se lo había robado el hombrecillo y lo tenía en el bosque atado a un árbol. Pero el *barin* le envió a buscar precisamente a él. El hombrecillo se puso a consultar las cartas y dijo:

—Que vayan corriendo al bosque: el potro está allí, atado a un árbol.

Trajeron al potro del bosque. El *barin* le dio cien rublos al hombrecillo, que se hizo famoso por todo el reino.

Sucedió entonces que el zar perdió su anillo de matrimonio. Por mucho que buscaron, no hubo modo de encontrarlo. Envió el zar en busca del curandero con orden de que lo trajeran sin pérdida de tiempo.

Conque lo agarraron, lo montaron en un carro y lo condujeron a presencia del zar.

—Ahora sí que estoy perdido —pensó el hombrecillo—. ¿Cómo voy a enterarme de adónde ha ido a parar el anillo? Estoy expuesto a que se enfade el zar y me mande a algún sitio de donde tarde mucho en volver.

—Hola, buen hombre —dijo el zar—. Te he mandado venir para que descubras dónde está mi anillo. Si lo descubres, te pagaré bien. Si no, mi espada, de un tajo, echará tu cabeza abajo.

Luego ordenó que le dieran una habitación especial.

—Tienes toda la noche para tus cábalas. Mañana por la mañana quiero la respuesta.

Encerrado en aquella habitación, pensaba el hombrecillo: «¿Qué respuesta le doy yo mañana al zar? Lo mejor que puedo hacer es largarme a la buena de Dios en cuanto sea noche cerrada. Al tercer canto del gallo saldré corriendo».

Pero el caso es que el anillo lo habían robado entre tres criados: el lacayo, el cochero y el cocinero. Muy preocupados, se decían:

—¿Y si este adivino nos descubre? Entonces nadie nos salvará de la muerte... Vamos a acechar detrás de su puerta. Si no descubre nada, nosotros callados. ¿Que se entera de que hemos sido nosotros? Le rogaremos que no se lo diga al zar.

Primero fue el lacayo a acechar. De pronto cantaron los gallos y el hombrecillo murmuró:

—¡Alabado sea Dios! Este es el primero. Aún quedan dos.

Con el corazón en un puño, el lacayo corrió donde sus compañeros:

—¡Hermanos! Me ha reconocido. No hice más que acercarme a la puerta, y dijo: «Este es el primero. Aún quedan dos».

—Iré yo a ver qué pasa —dijo el cochero.

Se puso a escuchar junto a la puerta. Se oyó el segundo canto de los gallos. Y el hombrecillo dijo:

—¡Alabado sea Dios! Con este son dos. Aún queda uno.

—¡Muchachos! También me ha reconocido a mí.

—Bueno, pues si me reconoce a mí lo mismo que a vosotros —dijo el cocinero—, nos echaremos a sus pies y le pediremos que nos ayude.

Fue a escuchar el cocinero. Al tercer canto de los gallos, el hombrecillo se santiguó.

—¡Alabado sea Dios! Ya están los tres —dijo, y corrió hacia la puerta para escapar. Pero al salir se dio de manos a boca con los ladrones, que acudían a pedirle ayuda, y cayeron a sus pies rogándole:

—No nos denuncies al zar, por Dios santo. Aquí está el anillo.

—Bueno, está bien: os perdono.

El hombrecillo agarró el anillo, levantó una tarima y lo metió debajo. Por la mañana preguntó el zar:

—¿Qué tal, buen hombre? ¿Cómo van tus cosas?

—Bien, majestad. He descubierto que tu anillo está debajo de esta tarima.

Levantaron la tarima, y allí encontraron el anillo.

El zar le dio una buena cantidad de dinero al hombrecillo, dispuso que le sirvieran cuanta comida y bebida deseara, y él se fue a dar un paseo por el jardín. Caminando por un sendero vio un saltamontes, lo cazó y volvió donde el hombrecillo.

—Puesto que todo lo adivinas, adivina lo que tengo en la mano.

Muy asustado, dijo el hombrecillo entre dientes:

—¡Ahora sí que estás en manos del zar, Saltamontes!

—¡Pues es verdad! Tienes razón.

Entonces el zar le dio todavía más dinero y le despidió muy afablemente.

Los ciegos

En el Moscú de piedra blanca vivía un muchacho que estaba de criado en una casa. Quiso volver a su aldea durante el verano y le pidió la cuenta a su amo. Aunque la verdad es que no cobró mucho: una moneda de medio rublo en todo y por todo.

Agarró el muchacho su moneda y se dirigió hacia la Puerta de Kaluga, por donde pensaba salir de la ciudad, cuando vio a un pobre ciego que pedía limosna por amor de Dios, sentado en el terraplén. Al muchacho le dio pena y, después de pensarlo mucho, le tendió al ciego la moneda diciendo:

—Esto, abuelo, es una moneda de cincuenta kopeks. Quedate con dos por amor de Dios, y devuélveme cuarenta y ocho.

El ciego metió la moneda en su bolso y siguió con la misma cantinela:

—Por Cristo, nuestro Señor, una limosna para este pobre ciego...

—¡Eh, viejo! Dame la vuelta, hombre.

Pero él como si no oyera.

—No te preocupes, hijo. El sol todavía está alto. Me queda tiempo para volver a casa poquito a poco.

—¿Te has vuelto sordo? Yo tengo que andarme cuarenta verstas largas y necesito dinero para el camino.

Aquello le dolía más que si le hubieran pegado una puñalada.

—¡Viejo del demonio! Dame la vuelta de mi moneda o lo vas a sentir...

Se puso a zarandearle de un lado para otro. Entonces el ciego empezó a gritar a voz en grito:

—¡Al ladrón! ¡Socorro! ¡Socorro, buenas gentes!

El muchacho pensó que podía buscarse otro disgusto. Dejó al viejo por imposible. «Mejor será dejarlo —se dijo—. No vaya a ser que encima vengan los guardias y me lleven preso».

Se apartó una decena de pasos, o algo más, pero luego se detuvo en medio del camino sin poder apartar la mirada del mendigo. Y es que sentía mucho haberse quedado sin el dinero ganado a fuerza de trabajo. Se fijó en que el ciego aquel andaba apoyado en dos muletas y las tenía entonces tiradas en el suelo, una a cada lado. El muchacho estaba tan furioso que quería vengarse de algún modo. Y pensó: «Pues ahora te quito una muleta, y veremos cómo te las arreglas para volver a tu casa a la pata coja».

Conque se acercó muy sigilosamente y le quitó una muleta. El ciego continuó allí un poco de tiempo, luego levantó la cara y dijo:

—Parece que el sol no está ya muy alto. Debe de ser hora de recogerse. ¡A ver, muletas mías, andando para casa!

Tanteó a los lados: a la izquierda encontró la muleta; pero a la derecha no. «Esta muleta me tiene ya harto. Nunca la encuentro a la primera». Siguió palpando a su alrededor y diciéndose: «Será una broma pesada que me ha gastado alguien. ¡Bah! Con una me arreglaré».

Conque se levantó y echó a andar apoyado en una sola muleta. El muchacho le siguió.

Anda que te anda, llegaron ante dos viejas casitas que se alzaban en el lindero de un soto, a poca distancia de la ciudad. El ciego se acercó a una de ellas y abrió con una llave que colgaba de su cinto. Apenas vio la puerta de par en par, el muchacho se coló el primero y fue a sentarse en un banco conteniendo el aliento. «A ver qué pasa ahora», pensó.

El ciego entró también, echó la aldabilla por dentro, se volvió hacia el rincón de los iconos y rezó una plegaria. Luego se quitó el cinto y el gorro y rebuscó algo debajo de la estufa, trasteando con las sartenes y los agarradores.

Al poco rato sacó de allí un pequeño barril. Lo dejó encima de la mesa y, después de vaciar su bolso, fue echando en el barrilillo, por una rendija que tenía a un lado, el dinero recogido aquel día. Mientras lo hacía, murmuraba:

—¡Alabado sea Dios! Por fin he juntado los quinientos. Y gracias al muchacho que me dio el medio rublo. De no ser por él, habría tenido que pasarme tres días más allí.

Con una sonrisa maligna, el viejo se sentó en el suelo, abrió las piernas y empezó a jugar con el barrilillo del dinero, haciéndolo rodar hasta que pegaba contra la pared y volvía hacia él.

«Le echaré una mano —pensó el muchacho—. Bastante se ha divertido ya el viejo demonio». Y, efectivamente, agarró el barrilillo del dinero.

—Parece que se ha atascado en las patas del banco —murmuró el viejo.

Se puso a buscar a tientas, y venga a buscar, pero no encontró nada. Entonces se asustó. Entreabrió la puerta, asomó la cabeza y gritó:

—¡Panteléi! ¡Oye, Panteléi! ¡Acércate un momento, hermano!

Apareció Panteléi, que también era ciego y vivía en la casita de al lado.

—¿Qué ocurre? —preguntó.

—Pues verás: estaba haciendo rodar por el suelo el barrilillo del dinero cuando, de pronto, no sé dónde se ha metido. ¡Quinientos rublos! ¿Te imaginas? ¿Lo habrá robado alguien? Pero no parece que hubiera nadie aquí.

—Te está bien empleado —sentenció Panteléi—. Con lo viejo que eres y no tienes ni pizca de sentido común. ¡Mira que ponerte a jugar con el dinero como un niño pequeño! Ya ves adónde conducen los juegos. Debías haber hecho como yo. También yo tengo mis quinientos rublos. Pero los he cambiado por billetes y los he cosido en este gorro viejo. ¿A quién le va a tentar una prenda así?

El muchacho, que estaba escuchándolo todo, pensó: «¡Vaya, hombre! Me imagino que no llevas el gorro clavado a la cabeza».

De manera que cuando Panteléi entraba en la casa, no hizo más que trasponer el umbral y el muchacho, ¡zas!, le echó mano al gorro y salió corriendo a todo correr.

Panteléi pensó que le había quitado el gorro su vecino y le atizó en la jeta diciendo:

—¡Esto no se hace entre nosotros, hermano! El que hayas perdido tu dinero no es una razón para que robes a los demás.

Se agarraron de las greñas el uno al otro y se dieron la gran paliza.

Mientras ellos peleaban, el muchacho hizo mucho camino.

Con el dinero así obtenido se acomodó muy bien y vivió tan campante.

El ladrón

É ranse un viejo y una vieja que tenían un hijo llamado Iván. Le criaron, dándole de todo, hasta que se hizo mayor y entonces le dijeron:

—Hasta ahora te hemos mantenido, hijo. Ahora te toca a ti mantenernos hasta que nos muramos.

—Si me habéis mantenido hasta esta edad —contestó Iván—, bien podéis mantenerme hasta que me salga el bigote.

Le mantuvieron hasta que le salió el bigote.

—Te hemos mantenido hasta que te ha salido el bigote —le dijeron entonces—. Ahora te toca a ti mantenernos hasta que nos muramos.

—¡Pero, padre! ¡Pero, madre! Si me habéis mantenido hasta que me ha salido el bigote, bien podéis mantenerme hasta que me crezca la barba.

Los viejos no tuvieron más remedio que mantenerle hasta que le creció la barba, y entonces dijeron:

—Hijo, te hemos mantenido hasta que te ha crecido la barba. Ahora te toca a ti mantenernos hasta que nos muramos.

—Ya que me habéis mantenido hasta que me ha crecido la barba, bien podéis mantenerme hasta que me haga viejo.

El padre no pudo aguantar más y fue a quejarse de su hijo al *barin*.

El *barin* hizo venir a Iván.

—¿Qué clase de holgazán eres, que no mantienes siquiera a tu padre y a tu madre?

—¿Y con qué los voy a mantener? ¿O quiere que robe? Yo no he aprendido a trabajar, y ahora ya es tarde.

—Lo consigas como lo consigas —replicó el *barin*—, a mí me tiene sin cuidado. Aunque sea robando. Lo que yo quiero es que mantengas a tu padre y tu madre y no me vengan con más quejas.

En esto vinieron a decirle al *barin* que tenía el baño listo. El *barin* fue a tomar su baño. Cuando volvió había anochecido ya.

—¿Quién hay por ahí? —gritó para que acudiera algún criado—. ¡A ver, unas zapatillas!

Iván se presentó al instante, le quitó las botas, le dio unas zapatillas y se llevó las botas a su casa debajo del brazo.

—Toma, padre: quítate los *lapti* y ponte estas botas de señor.

A la mañana siguiente advirtió el *barin* la falta de las botas. Mandó en busca de Iván.

—¿Te has llevado tú mis botas?

—No lo sé ni estoy enterado, pero ha sido cosa mía.

—¡Bribón, sinvergüenza! ¿Cómo te has atrevido a robar?

—¿No me dijiste tú mismo, *barin*, que mantuviera a mi padre y a mi madre aunque fuera robando? No he querido desobedecerte.

—¿Ah, sí? Pues escucha: prueba a robarme el buey negro del arado. Si lo robas, te ganas cien rublos: si no, cien latigazos.

—Está bien —contestó Iván.

Corrió a la aldea, robó un gallo en un corral, lo desplumó y fue con él hasta el campo donde estaban arando. Se acercó con mucho cuidado al surco del extremo, levantó una pella de tierra, metió el gallo debajo y él fue a esconderse entre unos matorrales. Cuando los labradores empezaron un surco nuevo, engancharon la pella de tierra y la vertieron hacia un lado. El gallo desplumado aprovechó para pegar un salto y lanzarse a todo correr por los surcos.

—¡Un gallo que sale de debajo de la tierra! —gritaron los labradores—. ¡A ese! ¡A ese! —y corrieron detrás.

Cuando Iván los vio partir a carrera abierta, llegó de unos saltos hasta el arado, le cortó el rabo a uno de los bueyes, se lo metió a otro en la boca, desenganchó al tercero y se lo llevó a su casa.

Después de mucho perseguir al gallo sin darle alcance, los labradores volvieron al campo y se encontraron con que faltaba el buey negro y otro estaba sin el rabo.

—¡Muchachos! Mientras nosotros corríamos detrás de ese bicho raro, un buey se ha comido a otro, y a este le ha arrancado el rabo de un mordisco...

Acudieron al *barin* muy contritos:

—*Bátiushka:* un buey se ha comido a otro.

—¡Pero qué imbéciles! —se indignó el *barin*—. ¿Dónde se ha visto ni se ha oído nunca que un buey se coma a otro? ¡Que llamen inmediatamente a Iván!

Fueron a llamar a Iván.

—¿Has robado tú el buey?

—Sí, *barin*.

—¿Y qué has hecho con él?

—Lo he degollado, he vendido la pelleja en el mercado y con la carne mantendré a mi padre y a mi madre.

—Está bien, hombre. Aquí tienes los cien rublos. Pero prueba ahora a robarme mi potro favorito, el que guardo detrás de tres puertas y bajo seis candados. Si lo robas, te ganas doscientos rublos; si no, doscientos latigazos.

—A tu servicio, *barin*. Lo robaré.

Ya anochecido se metió Iván en la casa señorial. En el vestíbulo, donde no había ni un alma, vio la ropa del señor colgada en el perchero. Agarró el capotón y la gorra, se los puso y, saliendo muy decidido al porche, pegó unos gritos a los cocheros y los caballerizos:

—¡A ver, muchachos! Quiero ahora mismo mi caballo favorito ensillado delante del porche.

Los cocheros y los caballerizos le tomaron por el señor, corrieron a las cuadras, abrieron las tres puertas, quitaron los seis candados y en un santiamén condujeron al caballo ensillado delante del porche. Iván se montó en él, le pegó un fustazo y... ¡adiós, muy buenas!

Al día siguiente preguntó el *barin* por su potro favorito y resultó que había desaparecido desde la víspera. Hubo que llamar a Iván.

—¿Has robado tú el potro?

—Sí, señor.

—¿Y dónde está?

—Se lo he vendido a unos mercaderes.

—Puedes darle gracias a Dios por habértelo mandado yo. Toma tus doscientos rublos. Y ahora a ver si robas a mi capellán.

—¿Y cuánto me darías por ello?

—¿Hacen trescientos rublos?

—Hacen. Lo robaré.

—¿Y si no lo consigues?

—Entonces el castigo quedará a tu voluntad.

Llamó el *barin* a su capellán.

—Ten cuidado —le advirtió—: pásate la noche rezando, sin dormir, porque Iván el ladrón dice que te robará.

Al pobre anciano se le quitó el sueño del susto. Estaba rezando en su celda cuando, a medianoche, llegó Iván con un saco de arpillera y llamó a su ventana.

—¿Quién es?

—Soy un ángel que ha bajado de los cielos para llevarte al paraíso en vida. Métete en el saco.

El capellán fue tan pánfilo que se metió en el saco. Iván lo ató, se lo echó a la espalda, fue al campanario y empezó a subir, sube que te sube.

—¿Llegaremos pronto? —preguntó el capellán.

—Ya lo verás. Primero, el camino es largo, pero tranquilo; luego es corto, pero muy accidentado.

Así lo subió hasta arriba, y entonces lo lanzó por las escaleras. ¡Pobre capellán! Contó todos los escalones con las costillas.

—¡Ay! —gemía—. Bien dijo el ángel que el camino era largo pero tranquilo al principio, pero corto y muy accidentado al final... Ni en la vida terrenal ha pasado nada igual.

—Aguanta, que el premio será tu salvación —contestó Iván al llegar también abajo.

Luego agarró el saco, lo colgó en el portón de la verja, puso al lado dos varas de abedul de un dedo de grosor y escribió en el portón: «Anatema sobre quien pase por aquí sin pegarle tres varazos a este saco».

Conque todo el que pasaba por allí agarraba una vara y pegaba tres veces. Hasta que pasó el *barin* y preguntó:

—¿Qué saco es ese?

Mandó que lo descolgaran y lo desataran. Le obedecieron y apareció el pobre capellán.

—¿Cómo has venido a parar aquí? ¿No te dije que tuvieras cuidado? Y tú, ¡nada! Lo que siento no son los varazos que te han pegado. Lo que siento es que por culpa tuya he perdido trescientos rublos.

El campesino timador

Érase una vieja que tenía dos hijos: el uno se murió y el otro, que
era campesino, partió hacia tierras lejanas. Unos tres días después de haberse marchado este, llamó un soldado a la puerta:

—¿Podría pasar la noche aquí, abuela?

—Entra, muchacho. Y tú, ¿de dónde eres?

—Pues yo vengo del otro mundo, abuela.

—¡Pobrecito mío! Oye: a mí se me ha muerto un hijo. ¿No le ha-
brás visto por allí?

—¡Pues claro que sí! Como que vivíamos en el mismo cuarto.

—¡Qué me dices!

—En el otro mundo cuida de una bandada de grullas.

—¡Hijo de mi alma! Estará muy cansado.

—¡Ya lo creo! Además, que las grullas andan siempre por entre
los zarzales.

—Tendrá la ropa destrozada.

—Hecha jirones.

—Mira, muchacho: yo tengo unas cuarenta *arshinas** de lienzo
y así como diez rublos en dinero. ¿Podrías llevárselo todo a mi hijo?

—Claro que sí, abuela.

Al cabo de un tiempo, no sé si mucho o poco, se presenta el hijo:

—Hola, *mátushka*.

—¿Sabes que ha estado aquí uno que venía del otro mundo y
me habló de tu hermano el difunto? Vivían en el mismo cuarto.

Con él le mandé a tu hermano unas piezas de lienzo y diez rublos en dinero.

—Conque sí, ¿eh? —exclamó el hijo—. Pues adiós, *mátushka*. Me voy por esos mundos. Cuando encuentre a una mujer más tonta que tú, volveré y te mantendré. Si no la encuentro, te echaré de casa.

Dio media vuelta y se largó.

Llegó a la aldea donde vivía el señor de aquellas tierras, se detuvo delante de la mansión y vio que andaba por el patio una cerda con sus lechones. El campesino cayó de rodillas, haciéndole grandes reverencias a la cerda. La *bárinia*, que le vio desde una ventana, ordenó a una criada:

—Anda y pregúntale a ese campesino por qué hace tantas reverencias.

—Buen hombre, ¿por qué estás de rodillas y le haces reverencias a la cerda? —preguntó la criada.

—¡Mujer! Ve y dile a la *bárinia* que esta cerda es hermana de mi mujer y, como mi hijo se casa mañana, he venido a invitarla a la boda. ¿No les daría permiso a la cerda para hacer de madrina y a los lechones para hacer de pajes?

La *bárinia*, cuando oyó aquello, le dijo a la criada:

—¿Habrá estúpido? ¡Mira que invitar a una cerda a la boda! ¡Y con los lechones además! ¡Allá él! Que se ría la gente a su costa. Ponle en seguida a la cerda mi abrigo de pieles y di que enganchen un par de caballos a un carro para que no vaya andando a la boda.

Engancharon un carro, montaron en él a la cerda toda emperifollada y a los lechones, y luego se lo dieron todo al campesino, que también montó en el carro y volvió a su casa.

A todo esto, el *barin* estaba de caza. Cuando regresó, su mujer le acogió muerta de risa.

—¡Ay querido! Como no estabas tú, no he podido reírme a mi gusto. Figúrate que se ha presentado un campesino, se ha puesto a hacerle reverencias a la cerda diciendo que es hermana de su mujer, y luego me ha pedido que la dejara ir a la boda de su hijo para que haga de madrina y los lechones de pajes.

—Y seguro que lo has consentido.

—¡Claro que sí! He hecho que le pusieran mi abrigo de pieles y le dieran un carro con un par de caballos.

—¿Y de dónde es ese campesino?

—No lo sé, corazón.

—Pues así resulta que la tonta eres tú y no el campesino.

Muy enfadado porque habían timado a su mujer, el *barin* salió de estampía, montó a caballo y partió al galope detrás del campesino.

Al oír el campesino que le perseguía el *barin*, metió el carro y los caballos entre la espesura del bosque y fue a sentarse junto al camino, poniendo el gorro boca abajo en el suelo.

—¡Eh, tú, palurdo! —gritó el *barin* al verle—. ¿No ha pasado por aquí un campesino con un carro de dos caballos donde iban una cerda y unos lechones?

—Claro que sí. Hace ya un buen rato.

—¿Y para dónde han tirado? ¿Cómo podría darles alcance?

—Al paso que llevas, no te costaría nada; pero el camino es muy enrevesado y podrías extraviarte. ¿Lo conoces bien?

—Mira, hombre: corre tú y tráemelos.

—¡Quia, *barin*! Yo no puedo apartarme de aquí: tengo un halcón debajo del gorro.

—No te preocupes, que yo vigilaré a tu halcón.

—¡Quia! Vale mucho y se te puede escapar. Entonces mi amo me arranca el pellejo a tiras.

—¿Pues cuánto cuesta?

—Lo menos trescientos rublos.

—Entonces, mira: si lo dejo escapar, te lo pago.

—No, *barin*. Ahora me lo prometes, sí. ¿Pero quién me dice que lo cumplirás luego?

—¡Qué desconfiado! Bueno, pues aquí tienes trescientos rublos por si acaso.

El campesino agarró el dinero, montó en el caballo del *barin* y se metió en el bosque al galope mientras el *barin* se quedaba a cuidar del gorro.

Mucho le tocó esperar al *barin*. Iba poniéndose ya el sol, y el campesino sin volver.

—Veré si de verdad hay un halcón debajo del gorro —se dijo el *barin*—. Si no me ha engañado, volverá; si no, ¿para qué voy a esperar?

Levantó el gorro... ¡y ni huella de halcón!

—¡Menudo sinvergüenza! Seguro que ha sido el mismo que engañó a mi mujer.

Y, muy contrariado, volvió andando a su casa.

Mientras, el campesino había vuelto ya a la suya.

—*Mátushka* —le dijo a la vieja—, quédate conmigo porque, desde luego, hay gente más tonta que tú en el mundo. Ya ves: sin más ni más, me han dado un carro, dos caballos, trescientos rublos y una cerda con sus lechones...

Una adivinanza de soldado

Iban unos soldados de paso y se detuvieron a descansar en casa de una vieja. Le pidieron algo de comida y de bebida, pero la vieja contestó:

—¿Qué os puedo ofrecer, hijitos míos? No tengo de nada.

Pero la verdad es que tenía en el horno un gallo hervido en un puchero tapado con una sartén.

Los soldados se lo imaginaron y uno de ellos —muy ligero de manos— salió al patio, removió unas gavillas que había en un carro y volvió diciendo:

—¡Abuela! ¡Oye, abuela! Mira a ver lo que pasa porque me parece que el ganado se está comiendo el grano.

La vieja corrió al patio. Entonces los soldados abrieron el horno, sacaron el gallo del puchero y metieron un *lápot* viejo en su lugar. Volvió la vieja:

—¿No habréis sido vosotros los que habéis soltado a los animales, hijitos? ¿Por qué hacéis esas cosas? Eso está muy mal.

Los soldados se estuvieron todavía allí un rato, sin replicar, y pidieron otra vez:

—¿Tendrías algo de comer, abuela?

—Mirad, hijitos: aquí tenéis *kvas** y pan. Con eso os arreglaréis.

Luego, muy satisfecha porque les había engañado, quiso además burlarse de ellos.

—Y decidme, hijitos, vosotros que sois hombres fogueados y tanto habéis visto: ¿sigue viviendo Galio Quiríquez en Pucherán, ese lugar que está cerca de Sartenales?

—No, ya no está allí.

—¿Y a quién han puesto en su lugar, hijitos?

—Pues a Arán Engañífez.

—¿Y Galio Quiríquez?

—Ha sido trasladado a Villa de Macutón, abuela.

Al poco rato se marcharon los soldados y luego volvió del campo el hijo de la vieja. Le pidió la comida y ella contestó:

—Espera que te cuente una cosa primero, hijo. Han estado aquí unos soldados. Me pidieron comida y yo me burlé de ellos diciéndoles una adivinanza sobre el gallo que tengo en el horno. Y no acertaron lo que era.

—¿Pues qué les dijiste, *mátushka*?

—Verás: les pregunté si sigue viviendo Galio Quiríquez en Pucherán, ese lugar que está cerca de Sartenales. Ellos me contestaron: «Ya no está allí». Y yo: «¿Pues dónde está, hijitos?». Y ellos: «Le han trasladado a Villa de Macutón». A todo esto, los hijos de tal sin imaginarse que yo tenía un gallo en el puchero.

Fue a la estufa, abrió el horno..., pero el gallo había volado.

No sacó del puchero nada más que un *lápot*.

—Ya lo ves, *mátushka*. Los soldados son gente fogueada. No hay quien los engañe.

Un cuerpo muerto

En cierto reino que no era nuestro país vivía una vieja viuda. Tenía dos hijos listos y uno tonto. Cuando le llegó la hora de morir y de repartir sus bienes, les dijo a los hijos listos:

—No os aprovechéis de que vuestro hermano es tonto, hijos míos. Repartidlo todo por igual.

Muerta la madre, los hijos listos se repartieron todos los bienes entre los dos y no le dieron nada al tonto.

El tonto agarró entonces a la difunta y la subió al desván.

—¿Qué haces, tonto? —le gritaron los hermanos—. ¿Adónde llevas el cuerpo de nuestra madre?

—Vosotros os habéis repartido todos los bienes —contestó el tonto—. A mí no me queda más que nuestra *mátushka*.

Cuando estuvo en el desván, se puso a gritar a voz en cuello:

—¡Eh, buenas gentes! Mirad: han matado a nuestra *mátushka*.

Los hermanos, viendo que se ponían mal las cosas, le dijeron:

—¡No grites, estúpido! Toma cien rublos, toma un caballo...

El tonto agarró el dinero, enganchó el caballo a un carro, metió a su madre en él y se lanzó al camino, llevándola como si estuviera viva.

En esto vio a un *barin* que venía tan ufano en su carruaje, haciendo sonar las campanillas. El tonto no le cedió el paso ni hizo intención de apartarse.

—¡Eh, tú, zoquete! ¡Aparta y échate a un lado!

—¡Apártate tú si quieres! —contestó el tonto.

Muy enfadado, el *barin* se puso a insultarle, arremetió contra el carro y lo tumbó de costado. La vieja cayó del carro y el tonto se puso a gritar:

—¡Socorro, socorro! ¡Este *barin* ha matado a mi madre!

—¡Calla, cretino! Calla, y toma estos cien rublos.

—Dame trescientos.

—¡Anda y que te lleve el demonio! Toma trescientos y deja de gritar.

El tonto agarró el dinero que le daba el *barin,* acostó a la vieja en el carro y fue hasta la aldea más próxima. Por la parte de los corrales llegó hasta la casa del pope. Se coló en la cueva y vio que allí, entre el hielo, había tinajas con leche. En seguida les quitó las tapaderas, trajo el cuerpo de su madre, lo colocó sentado allí cerca sobre un montón de paja y, después de ponerle a la difunta en la mano izquierda una orza y en la derecha una cuchara, se escondió detrás de una cuba. Al poco tiempo bajó a la cueva la popesa y vio que una vieja a quien no conocía estaba quitando la nata de las tinajas de la leche y echándola en una orza. La popesa agarró un palo y le atizó a la difunta con tanta fuerza que la vieja se desplomó. El tonto salió entonces de su escondite gritando:

—¡Ay, Dios mío! ¡Ay, Jesús santísimo! ¡La popesa ha matado a mi *mátushka*!

Acudió corriendo el pope:

—Calla —le dijo—, y te pagaré cien rublos. Además, enterraré de balde a tu madre.

—Venga el dinero.

El pope le pagó los cien rublos al tonto y enterró a la vieja.

El tonto volvió entonces a su casa con el dinero.

—¿Qué has hecho de nuestra madre? —preguntaron los otros hermanos.

—La he vendido. Aquí está el dinero.

A los hermanos les entró envidia y se pusieron a cuchichear.

—Vamos a matar a nuestras mujeres y luego las venderemos. Si por una vieja han dado tanto, por las nuestras darán el doble.

Mataron a sus mujeres y las llevaron al mercado. Allí los detuvieron, les pusieron grilletes y los mandaron a Siberia.

En cuanto al tonto, se quedó dueño de todo y vivió tan campante, sin olvidarse de su madre.

El bufón

En cierta aldea vivía un bufón. Un día se le ocurrió al pope ir a verle y le dijo a su mujer:

—Voy donde el bufón, a ver si me gasta alguna broma.

Lo hizo como lo había pensado, y se encontró al bufón yendo y viniendo por el patio, al cuidado de su hacienda.

—Que el Señor te acompañe, bufón.

—Bienvenido, padre. ¿Hacia dónde encamina Dios tus pasos?

—A verte a ti, hijo mío. ¿No quieres gastarme alguna broma?

—Claro que sí, padre. El caso es que las he dejado donde los siete bufones amigos míos. Préstame alguna prenda de abrigo y un caballo para ir a buscarlas.

El pope le dio su caballo, su zamarra y su gorro. El bufón montó a caballo y se marchó a casa del pope.

—*Mátushka* —le dijo a la popesa—: el pope ha comprado trescientos *puds* de pescado y me ha mandado venir en su caballo para que me des el dinero. Son trescientos rublos.

La popesa le dio al instante los trescientos rublos. El bufón volvió a su casa con ellos, dejó la zamarra y el gorro en el trineo, metió el caballo dentro de la cerca y se escondió.

Al cabo de mucho rato y cansado de esperar, el pope volvió a la aldea.

—¿Dónde está el pescado? —le preguntó la popesa al verle.

—¿Qué pescado?

—¿Cómo que qué pescado? El bufón ha venido de tu parte a buscar dinero porque habías apalabrado trescientos *puds* de pescado. Y yo le di trescientos rublos.

Así supo el pope la broma que le había gastado el bufón.

Al día siguiente se dispuso a ir de nuevo donde el bufón. Pero el bufón, que se lo imaginaba, se vistió de mujer, tomó una rueca y se puso a hilar junto a la ventana. De pronto se presentó el pope:

—Que Dios te acompañe.

—Bienvenido.

—¿Está en casa el bufón?

—No, *bátiushka*.

—¿Y dónde está?

—No ha vuelto a casa desde que ayer te gastó aquella broma, *bátiushka*.

—¡Pero qué bribón! Tendré que venir mañana.

Fue al tercer día, y tampoco estaba el bufón en casa. «¿Para qué gasto el tiempo en venir? —se dijo el pope—. Esta muchacha debe de ser familia suya. Me la llevaré a casa y que trabaje lo que me ha estafado el otro». Luego preguntó:

—Y tú, ¿qué parentesco tienes con el bufón?

—Soy su hermana.

—El bufón me ha estafado trescientos rublos. Conque vas a venir a mi casa a trabajar, palomita, para resarcirme de alguna manera.

—Por mí... Estoy dispuesta a ir.

Efectivamente, se marchó con el pope y allí estuvo bastante tiempo.

El pope tenía una hija moza. Un día se presentó un casamentero a pedir su mano para el hijo de un rico mercader. Pero la hija del pope no le gustó al mercader por alguna razón. Entonces pidió la mano de la criada, de la hermana del bufón.

Se celebró la boda por todo lo alto, con mucha alegría y un buen banquete.

Por la noche le dijo la recién casada al marido:

—Ayúdame a salir por la ventana, atada con este lienzo, para tomar un poco el aire. Luego, cuando sacuda yo el lienzo, tiras para que suba.

El marido la bajó al jardín. La supuesta esposa ató entonces a una cabra en su lugar, sacudió el lienzo y, cuando el recién casado tiró, se encontró con que había metido en la alcoba a una cabra.

—¡Ay, ay! A mi mujer la ha embrujado alguien...

Toda la casa acudió a sus gritos. Los amigos del novio emplearon todos los exorcismos que conocían para devolverle su forma humana, y tanto se afanaron, que la cabra quedó patitiesa.

A todo esto, el bufón volvió a su casa, se cambió de ropa y se presentó donde el pope.

—Pasa, pasa... Bienvenido... —le saludó el pope llevándole hacia la mesa.

El bufón estuvo allí un rato, sin probar bocado, hablando de unas cosas y otras, hasta que preguntó:

—¿Dónde está mi hermana, *bátiushka*? ¿No te la trajiste tú?

—Sí que la traje. Y ahora la he casado con un rico mercader.

—¿Cómo has podido casarla sin mi consentimiento, *bátiushka*? ¿Permiten eso las leyes? Iré a pedir justicia.

Se puso a porfiar el pope para que no presentara ninguna denuncia, y el bufón pidió por ello trescientos rublos. El pope se los dio.

—Está bien, *bátiushka*. Ahora llévame donde mi cuñado. Quiero ver cómo viven.

El pope aceptó para no meterse en discusiones. En casa del mercader fueron muy bien acogidos y agasajados. Pero como el tiempo pasaba y no aparecía la supuesta hermana, dijo el bufón:

—¿Dónde está mi hermana? Hace mucho tiempo que no nos vemos.

Los presentes quisieron hacerse los desentendidos, pero él volvió a preguntar, y entonces le confesaron que algún malvado la había convertido en cabra.

—¡Quiero ver esa cabra!

—La cabra se ha muerto.

—No, no se ha muerto ninguna cabra. Lo que ocurre es que habéis matado a mi hermana. ¿Cómo iba a convertirse ella en cabra? Iré a presentar una denuncia contra vosotros.

Los otros, claro, empeñados en que no fuera.

—No vayas, hombre. No nos lleves a los tribunales. Pide lo que quieras a cambio.

—De acuerdo: si me dais trescientos rublos, no iré.

Conque le dieron lo que pedía. El bufón se marchó con el dinero. Hizo un ataúd como pudo, metió el dinero dentro y emprendió el camino. En esto, se encontró con siete bufones.

—¿Qué llevas ahí, bufón? —le preguntaron.

—Dinero.

—¿De dónde lo has sacado?

—¿No lo veis? He vendido al difunto y ahora llevo el ataúd lleno de dinero.

Los bufones no comentaron nada, pero volvieron a sus casas, mataron a sus mujeres, las metieron en ataúdes y las cargaron en carros que llevaron a la ciudad, gritando:

—¡Difuntos, difuntos! ¿Quién quiere difuntos?

Los cosacos, que los oyeron, acudieron al galope y la emprendieron con ellos a latigazos, repitiendo:

—¿No queríais difuntos? ¡Pues los vais a tener!

Y los echaron de la ciudad.

Los bufones escaparon de milagro, enterraron a sus mujeres y se encaminaron a casa del bufón para hacerle pagar su burla. Pero el bufón, que se enteró, se preparó para recibirlos.

Cuando llegaron, entraron en la casa, saludaron, se sentaron en un banco... Les extrañó que el bufón tuviera una cabra dentro de la casa. El animal anduvo correteando por allí y, de pronto, dejó caer una moneda de medio rublo.

—¿Cómo ha echado esa moneda la cabra? —preguntaron.

—¡Ah, sí! Eso es lo que suele soltar...

Los otros, en seguida, empeñados en que se la vendiera a ellos. El bufón se resistía, diciendo que la necesitaba él. Pero los otros seguían porfiando. Hasta que les pidió trescientos rublos. Los bufones se los dieron y se llevaron la cabra. Ya en su casa, la metieron en la sala, después de extender alfombras por el suelo, y esperaron el día siguiente pensando: «¡Menuda cantidad de monedas va a soltar!».

Pero, en vez de soltar dinero, lo que hizo la cabra fue poner perdidas las alfombras.

Otra vez fueron los bufones a castigar al otro. Pero él, que se lo imaginaba, le dijo a su mujer:

—Mira: voy a atarte debajo del pecho una vejiga llena de sangre. Cuando esos vengan a pegarme, yo te pediré el almuerzo. A la primera vez no me hagas caso. A la segunda tampoco, ni a la tercera. Entonces yo empuñaré un cuchillo, lo clavaré en la vejiga, brotará la sangre y tú te dejas caer como si estuvieras muerta. En ese momento yo agarraré un látigo y te pegaré con él. Al primer latigazo te rebulles un poco, al segundo te das la vuelta y al tercero te levantas y te pones a servir la mesa.

Se presentaron los bufones:

—Amigo, nos vienes engañando desde hace ya mucho tiempo y ahora te vamos a matar.

—¿Qué se le va a hacer? Si me matáis, pues me matáis. Dejadme al menos que almuerce por última vez. ¡Eh, mujer! ¡Venga la comida!

La mujer, como si tal cosa. A la segunda vez no se movió ni a la tercera tampoco. El bufón agarró entonces un cuchillo y se lo clavó en un costado. Empezó a correr la sangre y la mujer se cayó al suelo.

Los bufones estaban espantados:

—¿Qué has hecho, so perro? Ahora nos empapelarán a nosotros también.

—¿Os queréis callar? Yo tengo un látigo que la dejará nueva.

Trajo un látigo, pegó con él a su mujer una vez, y ella rebulló: al segundo latigazo se dio la vuelta y al tercero se levantó y se puso a servir la mesa.

—¡Véndenos el látigo! —pidieron los bufones.

—Si lo queréis comprar...

—¿Pides mucho por él?

—Trescientos rublos.

Los bufones le dieron el dinero, agarraron el látigo y se marcharon. Al entrar en la ciudad vieron que conducían el cadáver de un hombre muy rico.

—¡Alto! —gritaron.

El duelo se detuvo.

—Vamos a resucitar al difunto.

Le pegaron con el látigo, y el difunto ni siquiera se estremeció. A la segunda vez tampoco, ni a la tercera, ni a la cuarta, ni a la quinta...

Entonces les echaron mano a ellos y la emprendieron a latigazos. A cada golpe repetían:

—¡Para que aprendáis a hacer milagros! ¡Para que aprendáis a resucitar a la gente...!

No los soltaron hasta que estuvieron medio derrengados. Volvieron a su casa casi a rastras, pero cuando se repusieron acordaron entre ellos:

—¿Hasta cuándo va estar ese burlándose de nosotros? ¡Vamos a matarle! ¡Se acabaron las contemplaciones!

Sin pensarlo más se pusieron en camino. Encontraron al bufón en su casa, lo agarraron y lo llevaron al río para ahogarle. Él les pidió entonces:

—Dejad por lo menos que me despida de mi mujer y de mis parientes. Traedlos aquí.

Los otros accedieron y se fueron juntos en busca de la parentela del bufón, dejándole a él metido en un saco cerca de un *prórub**.

Acababan de alejarse cuando acertó a pasar por allí un soldado en un trineo tirado por un par de alazanes, y en ese momento tosió el bufón. El soldado detuvo el trineo, se apeó, desató el saco y exclamó:

—¡Pero si es el bufón! ¿Qué haces aquí metido?

—Verás: me he comprometido hoy con Fulanita —y dijo el nombre—, y entre mis amigos y yo la hemos raptado. Pero se ha enterado el padre y anda buscándonos. Como no teníamos adónde ir, nos hemos escondido en unos sacos y luego nos han llevado a sitios diferentes para que nadie se entere.

El soldado, que era viudo, le pidió al bufón:

—Deja que me meta yo en el saco.

El bufón se resistía, haciendo que no quería, y el soldado venga a porfiar, hasta que le convenció. El bufón salió, ató al soldado en el saco en su lugar y se marchó en el trineo.

Aburrido, el soldado acabó durmiéndose dentro del saco.

Los siete bufones volvieron solos, porque no encontraron a los parientes, y echaron el saco al agua, que se fue al fondo chapoteando.

Ellos regresaron a sus casas; pero no habían hecho más que llegar y sentarse cuando vieron pasar por delante al bufón montado en un trineo de dos caballos.

—¡Eh, eh! —gritaron los siete, y el otro se detuvo—. ¿Cómo te las has compuesto para salir del agua?

—¡Cuidado que sois tontos! ¿No habéis oído el ruido que hacía al caer al fondo? Era para llamar a los caballos. Hay muchos, y de raza. Estos no son de lo mejor. Los he cogido al tuntún, porque estaban más cerca. Pero, adentrándose un poco, encuentra uno cada alazán...

Los bufones se lo creyeron.

—Oye, pues échanos tú ahora a nosotros, hombre, y podremos elegir también algunos caballos.

—Si queréis...

Conque los metió a todos en sacos y los fue echando al agua uno a uno. Cuando terminó, agitó una mano y dijo:

—Ahora que os saquen de ahí los alazanes...

Ivánushka el bobalicón

Una madre tenía tres hijos. Dos eran listos, pero el tercero no; y le llamaban Ivánushka el bobalicón. Los listos estaban siempre ocupados: cazaban con cepos y con lazo.

Una vez trajeron muchos animales. El bobalicón se bajó entonces del rellano de la estufa y gritó:

—¡Pero si yo también he cazado un zorro, hermanos!

—¿Y dónde está?

—Ahí en el corral.

Se asomaron los hermanos y vieron que había una pobre vieja muerta, atrapada en un cepo.

Le regañaron mucho, pero ya se sabe que regañar a un tonto es tiempo perdido.

Al poco tiempo pensó casarse el mayor de los hermanos. Como los listos estaban siempre ocupados y el bobalicón se pasaba el tiempo tumbado, le mandaron a él a comprar todo lo necesario para la boda en el mercado del pueblo vecino.

El bobalicón compró sal, carne y unos cinco o seis pucheros.

Regresaba a su casa cuando vio a un perro bebiendo agua del río.

—¡Pobrecito! —exclamó el bobalicón—. Está bebiendo agua sin salar.

Agarró y echó al río toda la sal que había comprado.

Siguió su camino y unos cuervos, que vieron la carne, empezaron a girar sobre él graznando. El bobalicón pensó que le saludaban. Cogió la carne y se la echó diciendo:

—Tomad y que os aproveche.

Anda que te anda, se fijó de pronto en los postes que señalaban las verstas del camino.

—¡Infelices! Estarán pasando frío, ahí parados, sin gorro... —se compadeció el bobalicón, y los fue cubriendo con los pucheros.

Volvió donde sus hermanos y les refirió todo lo que había hecho.

Los hermanos se indignaron con él y le mandaron que no se moviera de casa.

—Eres tan bobalicón que no sirves para nada.

Llegó el momento de que los novios fueran a recibir las bendiciones. El bobalicón se quedó solo en la casa. Entonces cerró la puerta, volcó una barrica de *kvas*, se metió en una artesa y, empuñando una espumadera, empezó a bogar por la casa diciendo:

—A ver si llego a tierra...

Regresaron los recién casados de la iglesia y llamaron a la puerta:

—Abre, bobalicón, que somos nosotros...

—Esperad a que llegue a la orilla —contestó.

Los otros no tuvieron más remedio que romper la puerta. En cuanto abrieron, brotó el *kvas* con tanta fuerza que los tiró al suelo...

El tonto y el abedul

En cierto reino, en cierto país, vivía un viejo que tenía tres hijos. Dos eran listos y el otro tonto.

Murió el viejo, y los hijos echaron a suertes para repartirse su herencia. A los listos les correspondieron muchos bienes, y en cambio al tonto solamente un buey de mala muerte.

Llegó el día de la feria, y los hermanos listos se prepararon para ir. Entonces dijo el tonto:

—También iré yo a vender mi buey, hermanos.

Ató una cuerda a los cuernos del buey y emprendió el camino de la ciudad. Tenía que cruzar el bosque, y en el bosque había un viejo abedul seco. Cuando soplaba el viento, la madera seca crujía. «¿Qué me dirá el abedul? —se preguntó el tonto—. ¿Será que quiere comprarme el buey?». Y le dijo:

—Bueno, pues si lo quieres, cómpralo. Estoy dispuesto a venderlo. Quiero veinte rublos por él. No puede ser menos. Conque venga el dinero.

El abedul, claro, no contestó nada; pero siguió crujiendo. Le pareció al tonto que se lo pedía fiado.

—Bueno, de acuerdo: esperaré hasta mañana.

Ató el buey al abedul, se despidió de él y volvió a su casa. Los hermanos listos le preguntaron:

—¿Qué, tonto? ¿Has vendido el buey?

—Sí.

—¿A buen precio?

—Por veinte rublos.

—¿Y el dinero?

—No lo he cobrado todavía. Me ha dicho que vuelva mañana.

—¡Cuidado que eres pánfilo!

A la mañana siguiente se levantó el tonto, se vistió y fue a pedirle el dinero al abedul. Llegó al bosque, y allí estaba el abedul, mecido por el viento, pero el buey había desaparecido: por la noche lo habían devorado los lobos.

—Bueno, paisano, afloja el dinero. Tú mismo me prometiste pagarme hoy.

Sopló el viento, el abedul se meció crujiendo y dijo el tonto:

—¡Qué poca formalidad! Ayer me dijiste que me pagarías hoy y hoy dices que mañana. En fin... Esperaré otro día, pero nada más, porque yo necesito el dinero.

Volvió a su casa, y otra vez los hermanos a preguntar:

—¿Has cobrado tu dinero?

—Pues, no. Tendré que esperar otro día.

—¿Pero a quién se lo has vendido?

—A un abedul seco que hay en el bosque.

—¡Valiente tonto!

Al tercer día agarró el tonto un hacha y se encaminó al bosque. Llegó y le exigió su dinero al abedul, que no hacía más que crujir.

—¡Quia, paisano! Si vas a darme largas un día tras otro, no cobraré nunca. Y como no me gustan las bromas pesadas, ahora verás cómo las gasto yo.

La emprendió a hachazos con el abedul haciendo volar astillas hacia todos los lados. Pero en el tronco de aquel abedul había un agujero donde unos salteadores habían escondido un caldero lleno de monedas de oro.

Cuando el árbol se partió por la mitad, el tonto descubrió aquel tesoro. Arrambló con todo lo que pudo amontonar en el faldón de la camisa, lo llevó a su casa y se lo enseñó a sus hermanos.

—¿Dónde has conseguido todo eso?

—Me lo ha dado el paisano que me compró el buey. Y no está todo aquí. Ni siquiera he traído la mitad. Vamos a buscar el resto.

Fueron los tres al bosque, recogieron todo el dinero y se encaminaron de vuelta a su casa.

—Oye, tonto: no se te ocurra decirle a nadie que tenemos tantas monedas de oro —advirtieron los hermanos listos.

—Claro que no...

En esto se encontraron con el sacristán.

—¿Qué traéis del bosque, muchachos?

—Setas —contestaron los listos.

Pero el tonto protestó:

—Están mintiendo. Lo que traemos es dinero: mira.

El sacristán se quedó primero sin respiración, pero luego cayó sobre las monedas y empezó a meterse puñados en los bolsillos.

El tonto, indignado, le atizó con el hacha y lo dejó allí tieso.

—¡Este tonto! ¿Te das cuenta de lo que has hecho? —gritaron los hermanos—. Estás perdido y nos has perdido a nosotros. ¿Qué hacemos ahora con el cadáver?

Después de pensarlo mucho, lo arrastraron hasta una cueva vacía y allí lo abandonaron.

Ya de noche, le dijo el hermano mayor al mediano:

—Esto no me gusta nada. Cuando empiecen a buscar al sacristán, el tonto lo contará todo. Vamos a matar al chivo, lo tiramos en la cueva y enterramos el cadáver del sacristán en otra parte.

Esperaron todavía y, en plena noche, mataron al chivo, lo arrojaron a la cueva y el cadáver del sacristán lo enterraron en otra parte.

Pasaron unos días, la gente empezó a buscar al sacristán y a preguntar por todas partes... Hasta que saltó el tonto:

—¿Y para qué lo queréis? Porque yo le maté hace unos días con el hacha, y mis hermanos lo tiraron a una cueva.

Inmediatamente le exigieron al tonto:

—Llévanos donde sea...

El tonto se metió en la cueva, encontró la cabeza del chivo y preguntó:

—¿Tenía el pelo negro vuestro sacristán?

—Sí.

—¿Y tenía barba?

—Sí que la tenía.

—¿Y cuernos?

—¿Qué dices de cuernos, tonto?

—No tenéis más que verlos... —y lanzó fuera la cabeza del chivo.

La gente, viendo que se trataba de un chivo, puso al tonto de vuelta y media y luego cada cual se fue a su casa.

Aquí termina el cuento. Conque dame de miel un cuenco.

Un idiota de remate

Cierta familia tenía un hijo que era idiota de remate. No pasaba día sin que alguien se quejara de él, porque lo mismo insultaba que pegaba a cualquiera. A la madre le daba pena, y cuidaba de él como si fuera un niño pequeño. En cuanto se disponía a ir a alguna parte, la madre se pasaba media hora haciéndole recomendaciones:

—Mira, hijito, debes comportarte de esta manera y de la otra...

Una vez pasaba el idiota junto a una era y vio que estaban trillando guisantes.

—Que tres días de faena os dejen tres guisantes apenas...

Los campesinos, furiosos, le pegaron con los mayales.

Acudió el idiota a su madre llorando:

—¡Ay, *mátushka*! Me han pegado, me han atizado muy fuerte...

—¿A ti, hijito?

—Sí.

—¿Por qué?

—Verás: yo pasaba cerca de la era de Dormidón, y allí estaban trillando guisantes...

—¿Y qué hiciste, hijito?

—... y les dije: «Que tres días de faena os dejen tres granos apenas...». Por eso me han pegado.

—¡Pero hijito! Haberles dicho: «Ojalá tengáis tantos de estos que nunca acabéis de cargar con ellos».

Muy ufano, el idiota echó a andar al día siguiente por la aldea, cuando se cruzó con un entierro. Recordó la recomendación que le hizo su madre la víspera y lanzó a voz en cuello:

—¡Ojalá tengáis tantos de estos que nunca acabéis de cargar con ellos!

Y le dieron otra paliza. Volvió el idiota donde su madre y le contó por qué le habían pegado.

—¡Pero hijito! Lo que debías haber dicho es «que la tierra le sea leve».

Aquellas palabras se le quedaron muy grabadas al idiota. Al otro día andaba otra vez vagando por la aldea cuando vio venir una boda. El idiota carraspeó para aclararse la voz y, al llegar el cortejo a su lado, gritó:

—¡Que la tierra os sea leve!

Los que iban con la boda, y que andaban ya a medios pelos, se tiraron de los carros y le atizaron de lo lindo. Corrió el idiota a su casa:

—¡Ay, madrecita mía, cómo me han pegado!

—¿Por qué, hijito?

El idiota le refirió lo ocurrido. Y dijo la madre:

—Lo que debías haber hecho, hijito, es tocar la flauta y bailar para ellos.

El idiota se marchó otra vez, llevándose su flauta.

Y sucedió que, en un extremo del pueblo, se le incendió el pajar a un campesino. El idiota corrió a todo correr hacia allá y, colocándose enfrente, se puso a bailar y a tocar la flauta.

También la emprendieron con él a golpes. Y otra vez acudió a su madre, hecho un mar de lágrimas, para contarle por qué le habían pegado.

—Lo que debías haber hecho, hijito —explicó la madre—, era llevar agua para ayudarles a apagar el fuego.

A los tres días, cuando iban doliéndole menos las costillas, el idiota salió a dar una vuelta por la aldea. En esto vio a un hombre que estaba chamuscando un cerdo recién matado. Inmediatamente le arrebató un cubo de agua a una mujer que volvía del río y corrió a vaciarlo sobre la hoguera. El idiota se ganó otra tanda de golpes.

De nuevo corrió donde su madre a contarle por qué le habían pegado.

La madre se juró entonces no dejarle andar solo por el pueblo. De manera que, desde ese día y hasta el de hoy, el idiota no asoma las narices fuera de su casa.

Lutóniushka

É rase una vieja que tenía un hijo llamado Lutonia, o Lutóniushka.

Una vez, en otoño, se puso a hacer matanza con el fin de salar carne para el invierno. La madre andaba a su alrededor refunfuñando:

—¿Para qué has matado a tantos animales? ¿Qué vamos a hacer con toda esa carne?

—Deja, *mátushka:* la primavera, cuando llega, todo se lo lleva —contestó Lutonia y, montando en el carro, se fue al bosque a cortar leña.

Precisamente entonces pasaba por allí un caminante más listo que el hambre. Al oír lo que hablaban comprendió que la mujer era bastante simple, por no decir tonta, y fue derechito a ella:

—Hola, buena mujer.

—Hola, buen hombre.

—Soy la primavera, que ha llegado a llevarse lo que habéis preparado.

Encantada, la mujer le condujo donde estaban las orzas y le llenó un saco de carne. Lo menos serían ocho *puds.*

Poco después volvió el hijo del bosque.

—¿Sabes que ha estado aquí Primavera, hijito? —le contó la vieja.

—¿Qué primavera? —preguntó Lutonia, mirándola muy extrañado.

187

—¿No lo sabes? El que dijiste que vendría a llevarse la carne. Le he dado un saco lleno.

—Bueno, *mátushka*, adiós —le dijo Lutonia—. Me voy por esos mundos. Si encuentro a alguien más tonta que tú, volveré. De lo contrario, no me esperes.

Conque Lutonia se marchó por esos mundos.

Entró en una aldea donde unos carpinteros estaban haciendo una isba. Serraron un tronco y lo dejaron demasiado corto. Entonces ataron unas cuerdas a los extremos y se pusieron a tirar en distintas direcciones.

—¿Qué estáis haciendo?

—Nada: que hemos dejado corto este tronco y lo queremos estirar.

Riendo, Lutonia les enseñó cómo se hace un empalme y siguió su camino. En esto vio a unos hombres recogiendo las mieses en un campo. Pero no utilizaban hoces, sino que cortaban las espigas una por una con los dientes.

Lutonia se sorprendió mucho de ver aquello y, además, le dio pena de la gente que tanto se afanaba. Fue a la herrería, y se fabricó una hoz. Cuando volvió al campo, la gente se había marchado a almorzar.

«Bueno, ahora verán cómo se recoge la mies», pensó Lutonia. Segó una gavilla, la ató, clavó la hoz entre las espigas y se quedó a ver lo que pasaba.

Los hombres volvieron al campo después de almorzar, vieron la hoz clavada en la gavilla y empezaron a dar alaridos:

—¡Ay, Dios mío! ¡Un gusano ha echado a perder las espigas!

Daban vueltas alrededor de la gavilla sin saber qué hacer ni cómo arrimarse al gusano. Por fin trajeron una cuerda, engancharon la hoz con un nudo corredizo y la arrastraron hacia el río.

—¿Cómo lo tiramos ahora al agua?

Sin pensarlo mucho, se les ocurrió una idea: ataron un hombre a un tronco, le dieron un extremo de la cuerda y le echaron al agua.

—Cruza a la otra orilla —le explicaron—, y cuando estés en medio del río tira el gusano al agua para que se ahogue.

Desgraciadamente, el tronco dio media vuelta y el hombre se encontró con la cabeza debajo del agua y los pies al aire.

—¡Muchacho! —le gritaban desde la orilla—. No te preocupes tanto de las albarcas. Si se mojan, ya las pondrás luego a secar en casa al lado de la estufa.

Y el hombre acabó ahogándose.

«Estos estúpidos no tienen arreglo», pensó Lutonia, y se marchó.

Conque llegó a otra aldea y allí descubrió a una vieja que estaba azotando a una gallina y le decía:

—¡La muy pendón! Ha traído al mundo un montón de polluelos y ni siquiera tiene tetas para darles de mamar...

«Me parece que esta es más tonta que mi madre. Creo que debo volver a casa».

Iba, efectivamente, ya de vuelta cuando se encontró por el camino con una cuadrilla de jornaleros que se habían sentado a almorzar.

—¡Buen provecho!

—Siéntate con nosotros si gustas.

Terminado el almuerzo, los jornaleros empezaron a contarse uno por uno para ver si estaban todos. Pero por muchas veces que contaron, siempre faltaba uno.

—Mira, muchacho: haz el favor de echarnos una mano. El amo nos ha mandado a diez en la cuadrilla; pero ahora, por más que contamos y recontamos, siempre falta uno.

—¡Claro! Y nunca llegaréis a diez mientras el que cuenta no se cuente también él. No le deis más vueltas: estáis todos.

—Gracias, buen hombre.

Lutonia se despidió de ellos y reanudó su marcha. Por fin llegó a su casa y dijo:

—Hola, *mátushka*. Aquí me tienes. He vuelto a vivir a tu lado porque, por mucho mundo que he recorrido, no he encontrado a nadie más listo que tú.

Un buen cambio

Érase un matrimonio campesino que tenía dos bueyes, pero en cambio no tenía carro.

En cuanto necesitaban desplazarse a alguna parte, ya estaba el marido corriendo por la aldea en busca de un carro. Y lo menos había recurrido ya cinco veces a cada vecino. La cosa llegó hasta el extremo de que nadie quería prestárselo ya. A cualquiera que se lo pedía le echaba en cara:

—¿Pero qué campesino eres tú? Tienes un par de bueyes y no puedes hacerte con un carro...

De manera que siempre pasaba lo mismo: cuando el campesino tenía que ir a alguna parte, acudía a uno, acudía a otro, y por falta de carro terminaba quedándose en casa.

—Escucha, mi hombre —le dijo la mujer—: lleva los bueyes a la feria, véndelos y compra un carro con el dinero que te den por ellos. Así tendremos también nuestro carro, la gente vendrá a pedírnoslo prestado y nosotros no se lo dejaremos a nadie.

El hombre hizo lo que le decía su mujer. Se levantó por la mañana temprano y marchó con los bueyes a la ciudad. Estaba ya cerca cuando vio a un viejo que conducía unos carros nuevos a la feria. Se acercó a él.

—Hola, paisano. ¿Vendes los carros?

—Sí.

—¿Sabes lo que te digo?

—Cuando me lo digas lo sabré.

—Pues, mira: haz el favor de darme un carro y te quedas tú con estos dos bueyes.

El viejo, viendo lo ventajoso del cambio, puesto que el par de bueyes valdría unos ciento cincuenta rublos y el carro solo veinte, contestó:

—De acuerdo, hermano. Elige el que quieras.

El campesino eligió el carro más grande y entregó a cambio los dos bueyes.

El viejo, encantado, apretó el paso camino de la ciudad, rogándole al cielo que aquel imbécil no cambiara de opinión y quisiera recuperar sus bueyes.

Entre tanto, el campesino pensaba, parado en medio del camino: «Ya tengo un carro, gracias a Dios. ¿Pero cómo me lo llevo ahora a casa? Puesto que me he quedado sin los bueyes, tendré que tirar yo de él».

Agarró una cuerda, la ató al carro y se puso a tirar. Al cabo de una versta y media estaba derrengado: el sudor le corría a chorros por la cara y su camisa se podía retorcer. Hizo un alto, se sentó a descansar y pensó: «De aquí a casa habrá lo menos quince verstas. ¿Cómo me las arreglo ahora con el carro?».

En esto vio a un pastor que conducía dos cabras a la feria y le gritó:

—¡Hola, paisano! ¿Adónde vas con las cabras?

—A venderlas en la ciudad.

—En vez de venderlas, ¿por qué no me cambias una por este carro? Es nuevo, fíjate.

El pastor contestó con una sonrisita:

—Habrá que pensárselo porque, cuando se hace un mal negocio, luego no tiene solución. En fin, sea lo que Dios quiera. Elige la que mejor te parezca.

El campesino le entregó el carro, agarró una cabra y se encaminó hacia su casa. Habría caminado un par de verstas cuando se encontró con un buhonero que llevaba su caja a la espalda y, colgadas del cinto, unas cuantas escarcelas.

Aquellas escarcelas le gustaron mucho al campesino.

—Oye, paisano, ¿adónde llevas esas escarcelas?

—A venderlas en la ciudad.

—Cámbiame una por esta cabra.

—Encantado, hermano.

El campesino agarró una escarcela, la metió en la cana de la bota y partió hacia su casa. Anda que te anda, llegó a un río y subió en una barca para pasar a la orilla opuesta. Cuando los barqueros le pidieron que les pagase, resultó que no tenía dinero.

—Pues, si no tienes dinero, venga la casaca —dijeron los barqueros.

—No, no, que la casaca la necesito yo. Lo que sí tengo es una escarcela nueva. Quedaos con ella por haberme pasado.

Sacó la escarcela, se la entregó a los barqueros, y ellos le dejaron ir en paz. Reanudó el campesino la vuelta a su casa, pensando que se había quedado sin los bueyes y no había sacado nada a cambio, cuando vio a unos carreros que estaban cocinándose unas gachas cerca del camino.

—Hola, paisanos.

—Hola, buen hombre.

—De provecho os sirva.

—Gracias.

—Buena cara tienen esas gachas. ¿No sobrarían unas pocas para mí? Tengo mucha hambre.

—¿Pues de dónde vienes? —preguntó el mayoral.

—Vengo de llevar una yunta de bueyes a la feria para venderlos.

—¡Vaya, hombre! ¿Has vendido una yunta de bueyes y andas pidiendo?

—Si supieras lo que me ha pasado... —contestó el campesino.

—A ver, cuenta.

—Veréis... —empezó el campesino, y lo contó todo.

El mayoral se echó a reír:

—Pues ahora, hermano, procura que no te vea tu mujer, si no quieres pasarlo mal.

—Estás equivocado: no pasará nada. Ni siquiera me dirá una palabra de reproche.

—¡Eso no puede ser verdad! Mira: si tu mujer no te arma escándalo por lo que has hecho, aquí tienes doce carros de sal. Te los doy con los bueyes y todo.

—¡De acuerdo, hombre!

—¿Y si te regaña?

—Cuenta con que trabajaré para ti toda la vida.

Concertaron la apuesta y fueron hacia la aldea. Cuando llegaron a casa del campesino, el mayoral se quedó en el zaguán escuchando mientras él entraba en la casa.

—Hola, mujer.

—Hola, mi hombre. ¿Cambiaste por fin los bueyes?

—Sí.

—¿Y dónde está el carro?

—Lo he cambiado por una cabra.

—Y la cabra, ¿dónde está?

—La he cambiado por una escarcela.

—¿Y dónde está la escarcela?

—Me la cobraron por pasarme el río.

—Bueno, pues gracias a Dios que has vuelto tú. Quítate la zamarra y siéntate a la mesa a almorzar, que seguramente vendrás con hambre. En cuanto a los bueyes, no te apures: no habiendo bueyes, tampoco tendremos que ocuparnos de ellos.

El campesino se sentó a la mesa y gritó:

—¡Eh, mayoral! Entra. ¿Has oído? Ya ves que tenía yo razón.

—Cierto, paisano —dijo el mayoral suspirando—. Tuyos son los doce carros, la sal y los bueyes.

De esta manera se enriqueció el campesino y desde entonces vivió en la opulencia.

Cuento de los hermanos Fomá y Erioma

Éranse dos hermanos. El uno se llamaba Fomá y el otro Erioma. Y, después de mucho pensar, los dos hermanos tuvieron la ocurrencia de ir a pescar.

Tenían una barca sin embrear y dentro un achicadero lleno de agujeros. Tres días estuvieron yéndose a pique y si no se ahogaron fue porque unas buenas gentes los sacaron.

Se sentaron los hermanos junto al río aquel, y mientras estaban tomando rapé se les ocurrió pensar que debían ponerse a comerciar.

Compraron lienzo del mejor y se fueron a la ciudad de Rostov. Allí cambiaron el lienzo por unos rabos de cerdo. Pero tampoco de ese negocio sacaron ningún provecho.

Entonces pensaron vivir de la tierra. Sembraron centeno, sembraron avena... El centeno se encamó y la avena no salió.

Echaron al fuego el arado, dejaron la reja tirada, al caballo lo degollaron y ellos del campo escaparon.

Buena cosa... Mala cosa...

Iban de camino un *barin* y un campesino.

—¿De dónde vienes, buen hombre?

—De muy lejos, mi señor.

—¿Pero de dónde?

—De la ciudad de Rostov, mandado por mi amo, el *barin* Tolstov.

—¿Y es grande la ciudad?

—No me paré a calcular.

—¿Y recia?

—No me peleé con ella.

—¿A qué fuiste a Rostov?

—A una compra importante: por una medida de guisantes.

—Buena cosa...

—Sí, pero no demasiado.

—¿Y eso?

—Porque iba borracho y los guisantes se desparramaron.

—Mala cosa...

—Sí, pero no demasiado.

—¿Y eso?

—Porque desparramé una medida y luego recogí dos.

—Buena cosa...

—Sí, pero no demasiado.

—¿Y eso?

—Porque los sembré a voleo y fueron pocos los que salieron.

—Mala cosa...

—Sí, pero no demasiado.

—¿Y eso?

—Porque los que salieron estaban bien granados.

—Buena cosa...

—Sí, pero no demasiado.

—¿Y eso?

—Porque los cerdos del cura vinieron a comérselos y los pisotearon todos.

—Mala cosa...

—Sí, pero no demasiado.

—¿Y eso?

—Porque yo maté a los cerdos del cura y llené dos orzas de carne salada.

—Buena cosa...

—Sí, pero no demasiado.

—¿Y eso?

—Porque vinieron a robar la carne los perros del cura y me la robaron toda.

—Mala cosa...

—Sí, pero no demasiado.

—¿Y eso?

—Porque yo a los perros los maté y con su piel le hice un abrigo a mi mujer.

—Buena cosa...

—Sí, pero no demasiado.

—¿Y eso?

—Porque el cura reconoció la piel y le quitó el abrigo a mi mujer.

—Mala cosa...

—Sí, pero no demasiado.

—¿Y eso?

—Lo malo fue que me querellé con el cura. Me costó el juicio el caballo y la vaca colorada. Y después de tanto trajín, me quedé sin nada al fin.

* * *

Érase un *barin* que vivía en la ciudad. Vino a verle el alcalde de una de sus aldeas.

—¿Eres tú, Vasili Petrov? —preguntó el *barin*.

—Sí, *barin*, nuestro amo.

—¿Traes carta de mi madre?

—No traigo carta: traigo una esquela.

—¿Y qué dice en ella?

—Pues que en algo hemos ofendido a Dios, porque se ha roto vuestro cortaplumas.

—¿Y cómo lo habéis roto?

—Al desollar a vuestro alazán. Como el cortaplumas era muy pequeño, lo rompí sin querer.

—¿Pero es que mi alazán ha muerto?

—No, que falleció.

—¿Qué es eso de que falleció?

—No, si no fue él quien falleció primero, sino vuestra *mátushka*, nuestro amo.

—¿Dices que ha muerto mi madre?

—Fue cuando se le prendió fuego al guarda Fomá el granero. Ella estaba entonces en el piso alto de la casa de piedra. Entró una chispa por el ventanillo abierto, le pegó en una pierna, la señora se cayó y así ocurrió.

—¿No pudiste sujetarla, imbécil?

—¡*Barin*, nuestro amo! Con lo bien alimentada que anda, a cualquiera que le caiga encima lo aplasta.

—A ti te estaría bien empleado. ¿Y cómo dejó Fomá que el granero se llegara a incendiar?

—No, si lo que se incendió primero no fue el granero, sino el molino nuevo.

—¿También ha ardido mi molino nuevo?

—Sí, *barin*, nuestro amo. En algo hemos ofendido a Dios.

—¿Qué ha quedado del molino?

—El agua y la muela grande. La muela se partió en cuatro, pero del fuego salió intacta. ¡Ah! También se quedó sin ojos un gato que miraba por el ventanuco. Pero, aparte de cegar, no le ocurrió nada más.

—Y el molino nuevo, ¿cómo se prendió fuego?

—No fue en el molino donde prendió el fuego primero. Lo incendiaron unas pavesas que saltaron cuando ardía la despensa.

—¿La despensa también?

—También. En algo hemos ofendido a Dios.

—De la despensa, ¿quedó algo más que tizones?

—Quedaron catorce garrafones. Les rompí el gollete a todos para saber cómo estaban las bebidas: en unos estaba agria, en otros amarga y en los demás ni se podía probar.

—¡Tú estás borracho, animal!

—Pues no hice más que probar.

—Otra cosa: como alcalde, ¿le has cobrado a la gente lo que debe?

—Sí, *barin*, nuestro amo.

—¿Cuánto has cobrado a cada uno?

—Un *grosh** a Fomka y otro a Eriomka y a Varfolomeika un kopek nada más.

—Y a ese, ¿por qué tan poco?

—Porque es viudo y paga la mitad.

—¿Y el dinero? ¿Dónde está?

—*Barin*, nuestro amo, ahora verá: iba por la calle y vi una taberna nueva al pasar. Por un *grosh* pedí bebida y por el resto una rosquilla de las de tres kopeks para comer algo.

—¡Imbécil! ¡Te has bebido ese dinero!

—No, *barin*, nuestro amo: me lo he bebido y me lo he comido.

—¿Y la harina? ¿La has recogido a los campesinos?

—Claro, no faltaba más.

—¿Dónde está?

—La tengo repartida ya. Para usted y los cerdos, cincuenta medidas. Además, cuarenta para el perro negro y para el amo, que es vuestro padre. Luego, para la cerda Galiama y vuestra madre Oliana, nuestra ama, treinta medidas cumplidas. En cuanto a las veinte que quedaban, han sido para las gallinas, las patas y vuestras hermanas pazguatas.

—¿Vas a insultarlas?

—No, *barin*. Es un dicho muy corriente.

—¿Fuiste al mercado?

—Sí, *barin,* siguiendo su mandado.

—¿Es fuerte la venta?

—No probé mis fuerzas con ella.

—¿Cómo se vende la harina?

—En paquetes y en sacos.

—Dicen que has casado a tu hijo Fomka.

—Y con razón lo dicen, *barin*.

—¿Es rica la novia?

—Sí que lo es, sí, señor.

—¿Qué lleva de dote?

—Un gorro con refajo, un bonete con mangas, una caja de hierro con candado de metal.

—¡Ya es riqueza! ¿Y de imágenes sagradas?

—Una pintada y otra en un pañuelo atada...

Si no te gusta, no escuches

Vivían en cierto lugar dos hermanos tontos y otro que era listo. Un día fueron al bosque y quisieron almorzar allí. Echaron legumbres secas en un puchero, lo llenaron de agua fría (así dijo el tonto que se hiciera), pero cuando fueron a ponerlo a la lumbre resultó que no tenían con qué encenderla.

Por allí cerca había un colmenar. Dijo el hermano mayor:

—Iré por candela al colmenar.

Llegó al colmenar y le pidió al viejo que encontró allí:

—Dame un poco de candela, abuelo.

—Cántame primero una canción.

—Yo no sé cantar, abuelo.

—Bueno, pues baila algo.

—Tampoco se me da bien.

—Pues, si no se te da bien bailar, yo no te doy candela.

Además, como tenía muy mala intención, le arrancó piel de la espalda para un cinturón.

Conque el hermano mayor volvió sin candela donde los demás. El hermano mediano se enfadó con él y dijo:

—¡Cuidado que eres! Mira que no haber traído candela... Iré yo a buscarla.

Allá fue el mediano al colmenar. Llegó y gritó:

—¡Abuelo! Dame un poco de candela, por favor.

—Cántame primero una canción, muchacho.

—No sé cantar.

—Pues cuéntame un cuento.

—Es que tampoco sé, abuelo.

El abuelo agarró y también al hermano mediano le arrancó de la espalda piel para un cinturón.

Lo mismo que el mayor, volvió el hermano mediano sin candela donde estaban los demás. Los hermanos listos se quedaron mirándose sin saber qué hacer.

El tonto también estuvo mirándolos un rato, hasta que dijo:

—Tan listos como sois y no habéis traído candela... —y se marchó él a buscarla.

Llegó donde el viejo:

—¿No tendrías un poco de candela que darme, abuelo? —preguntó.

—Baila algo primero —pidió el viejo.

—No sé bailar —contestó el tonto.

—Pues cuéntame un cuento.`

—Eso sí que me va —aseguró el tonto, sentándose sobre una cerca que estaba allí tirada—. Ahora tú siéntate aquí, frente a mí, y no me interrumpas, porque si me interrumpes te arranco de la espalda tiras de piel para tres cinturones.

El viejo tomó asiento frente al tonto, con la calva al sol. Y tenía una calva muy grande. El tonto carraspeó y empezó:

—Bueno, abuelo, pues escucha.

—Te escucho, muchacho.

—Yo tenía un caballejo pío en el que iba por leña al bosque. Un día monté en él como siempre, con el hacha colgada del cinto. El caballo iba trotando, tras-tras, tras-tras..., y al mismo tiempo iba el hacha pegándole en el lomo, zas-zas, zas-zas..., hasta que le cortó la parte trasera... Escucha, escucha, abuelo —dijo el tonto y le pegó con una varita en la calva.

—Te escucho, muchacho.

—Conque así anduve tres años más cabalgando en él solo con la parte delantera, hasta que un día, de repente, descubrí en un prado la parte trasera de mi caballo que andaba por allí pastando. Corrí, la cacé, la cosí a la parte delantera y todavía anduve así tres años más. Escucha, abuelo, escucha... —y le pegó otra vez con la varita en la calva.

—Te escucho, muchacho.

—Anduve así en mi caballo hasta que un día llegué al bosque y vi un roble muy alto. Me puse a trepar por él y así llegué hasta el cielo. Allí vi que el ganado se vendía muy barato y en cambio estaban muy caros los mosquitos y las moscas. Descendí a tierra por el roble, cacé moscas y mosquitos hasta llenar dos sacas, me las eché a la espalda y trepé de nuevo al cielo. Abrí las sacas y me puse a comerciar con la gente que andaba por allí: a cambio de una mosca y un mosquito a mí me daban una vaca y un ternero. Así junté tanto ganado, que ni se podía contar. Conque llevé el rebaño hacia el lugar por donde había subido, y me encontré con que habían talado el roble...

El tonto hizo una pausa, y luego continuó:

—Muy preocupado, me puse a pensar en cómo bajaría del cielo, y por fin se me ocurrió hacer una cuerda que llegara hasta el suelo: para ello maté a todos los animales, con sus pieles hice una correa muy larga y empecé a bajar. Fui bajando, bajando... y al final resultó que me faltaba un trozo de correa poco más largo que la altura de tu cabaña... Escucha, escucha, abuelo —y otra vez le pegó con la varita en la calva.

—Te escucho, muchacho.

—Para suerte mía, un campesino estaba allí cerca aventando el grano. Con los trozos de paja que subían revoloteando yo trencé una cuerda y la empalmé a la correa. Pero en esto se levantó un vendaval que empezó a zarandearme de un lado para otro... Tan pronto hasta Moscú como hasta Píter... La cuerda de paja no aguantó, se rompió, y el viento me arrojó a un lodazal. Me hundí en el barro hasta el cuello. Solo me asomaba la cabeza. Yo habría querido salir de allí, pero no era posible porque una pata había hecho su nido en mi cabeza...

Después de otra pausa, siguió contando el tonto:

—En esto apareció un jabalí que tenía la querencia de ir al pantano a robar huevos. Como pude, saqué una mano y me agarré al rabo del jabalí. Sí; conforme estaba a mi lado, le eché mano y grité muy fuerte: «¡Arre, arre!». Y el jabalí me sacó del pantano. ¿Me escuchas, abuelo?

—Te escucho, muchacho.

El tonto se dio cuenta de que la cosa se ponía fea: había terminado el cuento sin que el viejo le interrumpiera, como era lo prometido. Para sacarle de sus casillas de alguna manera, el tonto empezó otra historia.

—Mi abuelo, que iba a caballo encima del tuyo...

—¡No! ¡El que iba a caballo era el mío encima del tuyo! —le interrumpió el viejo.

Entonces el tonto, que no estaba esperando otra cosa, le derribó boca abajo, le cortó de la espalda tres tiras de piel para cinturones, cogió un poco de candela y volvió donde sus hermanos.

En seguida encendieron una hoguera y colocaron encima el puchero para hacerse la comida.

Y se acabó de momento. Cuando ya esté la comida, seguiremos con el cuento.

*   *   *

Un campesino había sembrado muchos guisantes, pero unas grullas tomaron la querencia de venir a comérselos.

—Ya veréis cómo os quito yo esa costumbre —se dijo el campesino.

Compró un cubo* de vino, lo echó en una artesa, lo mezcló con miel, luego montó la artesa en el carro y se marchó al campo.

Cuando llegó a su parcela, descargó la artesa, la dejó allí y él se tendió a descansar, escondido.

Llegaron las grullas y se pusieron a comerse los guisantes. Luego vieron la artesa y bebieron de ella hasta que todas se derrumbaron borrachas perdidas.

El hombre acudió corriendo, las ató a todas por las patas, las echó en el carro y emprendió la vuelta a su casa.

Por el camino, con el traqueteo, las grullas se despabilaron, volvieron en si, empezaron a agitar las alas y remontaron el vuelo, levantando con ellas al campesino, el carro y el caballo. Subieron muy alto, muy alto. El campesino agarró entonces un cuchillo, cortó la cuerda y fue a caer en medio de un pantano. Un día y una noche estuvo forcejeando a más y mejor hasta que pudo salir de allí.

De vuelta a su casa se encontró con que su mujer había dado a luz y tenía que ir a buscar al pope para bautizar a la criatura.

—No —dijo—. Yo no voy a buscar al pope.

—¿Por qué?

—Porque tengo miedo a las grullas. Son capaces de remontarse otra vez conmigo, y si me caigo del carro, me puedo matar.

—No te preocupes, hombre: te ataremos al carro con una cuerda.

Bueno, pues lo montaron en el carro, lo ataron con una cuerda, y condujeron el caballo hasta el camino. En cuanto le pegaron un par de fustazos, el caballo emprendió el trote.

A la salida de la aldea había un pozo. El caballo, al que no habían dado de beber todavía, quiso saciar su sed. Se apartó del camino y fue derechito al pozo. Era un pozo que no tenía brocal. Además, dio la casualidad de que el arnés no tenía retranca ni el cabezal tenía brida y la collera era demasiado grande. El caballo se inclinó hacia el agua, saliéndose de la collera. Cuando acabó de beber volvió hacia el camino, y allí se quedaron el carro y el campesino.

Precisamente por entonces, unos cazadores habían hecho salir a un oso del bosque. Huyendo de ellos a todo correr se encontró con el carro, quiso saltar por encima y fue a meterse en la collera. Como los cazadores venían detrás, el oso reanudó su carrera tirando del carro.

—¡Socorro! ¡Socorro! —gritaba el campesino.

Más asustado todavía al oírle, el oso se lanzó a ciegas por campos, barrancos y pantanos. Así llegó hasta un colmenar y, quizá porque quisiera comer miel, trepó a un árbol, siempre tirando del carro. Subió hasta lo más alto, pero el peso del carro tiraba de él hacia abajo. El pobre oso no sabía qué hacer.

Al poco rato se presentó el amo del colmenar y vio al oso en lo alto del árbol.

—¡Ya caíste, amigo! —dijo—. ¿Habráse visto holgazán igual? Viene a robarme miel y, además, viene en carro...

El hombre agarró un hacha y se puso a talar el árbol a ras de tierra. El árbol, al desplomarse, destrozó el carro y aplastó al campesino.

En cuanto al oso, se desprendió de la collera y ¡piernas, para qué os quiero...!

Para que veáis cómo son las grullas.

*   *   *

Eranse un viejo y una vieja. Este viejo y esta vieja tenían un hijo llamado Iván. Fueron viviendo, viviendo, hasta que el viejo se murió cuando el hijo era ya mayor.

Una vez, la vieja había hilado dos madejas. Precisamente por entonces debía ir Iván a la feria. Y le dijo a su madre:

—Me voy a la feria y allí, mientras vendo lo que llevo, sacaré de los bolsillos lo que pueda.

—¡Pero, hijo mío! —le reprendió la madre—. Eso no está bien.

—Yo haré que lo esté.

Conque cogió las madejas hiladas por la madre, llegó a la feria y se dedicó a lo suyo: sacó diez rublos de su venta y de los bolsillos ajenos, noventa. De esta manera se encontró con cien rublos. Compró rosquillas y miel, montó en el carro y emprendió la vuelta a su casa. Todo el tiempo iba engullendo rosquillas untadas con miel.

En esto se cruzó en el camino con un *barin*. Al ver a Iván, el *barin* detuvo su carruaje tirado por cuatro briosos corceles y le dijo:

—¿No te gastas mucho lujo, amigo? Las rosquillas son bastante ricas para comerlas solas. Y tú, encima, las untas con miel...

—Si gasto lujo es porque puedo —contestó Iván al *barin*—. Vengo de la feria, donde he sacado diez rublos de mi venta, y de otras artes, noventa. Además, si me lo propongo, puedo sacarte a ti doscientos.

—Prueba a ver.

—Bueno, pero con una condición: si mientras yo hablo tú dices «¡mentira!», tendrás que darme doscientos rublos. Si aguantas sin decirlo, puedes hacer conmigo lo que quieras.

—De acuerdo —aceptó el *barin*.

Chocaron las manos y se puso Iván a contar un cuento.

—Vivía yo con mi padre y mi madre cuando era muy pequeñito y me fui una vez al bosque. En el bosque encontré un árbol, en el árbol un agujero y dentro del agujero el nido que habían hecho unas perdices asadas. Quise meter una mano en el agujero, pero no entraba; quise meter una pierna, pero tampoco entraba. Entonces pegué un salto y me metí entero. Comí hasta hartarme y quise marcharme; pero, ¡quia! Había engordado demasiado de tanto comer y el agujero era muy pequeño. Claro que yo, como no soy tonto, corrí a mi casa, traje un hacha, ensanché el agujero y salí. Entonces noté que tenía sed. Llegué al mar, me quité el cráneo, lo llené de agua y bebí. Todo habría marchado bien, pero se me cayó el cráneo al agua. Cuando quise darme cuenta, estaba flotando en medio del mar. Patos y gansos habían hecho sus nidos en él y habían puesto huevos. ¿Qué hacer? Lancé el hacha para atraparlo y me quedé corto. La lancé otra vez y pasó de largo. A la tercera, ni me aproximé siquiera. A todos los patos y gansos los maté de esta manera. En cuanto a los huevos, se fueron volando. Luego llegué hasta el fin del mar y le prendí fuego. Cuando se consumió entero, pude alcanzar mi cráneo y me fui a recorrer mundo.

—Muy bien, muchacho, muy bien. Todo eso es la pura verdad.

—Fui al bosque a cortar leña y mientras anduve de aquí para allá, los lobos le abrieron la panza a mi pobre caballo. Yo, claro, en seguida encontré la salida: corté una varita de abedul, volví corriendo donde el caballo, le metí otra vez las tripas dentro de la panza y la recosí con la varita de abedul. Luego cargué el carro de leña y arreé al caballo, pero él no se movió del sitio. ¡Cosa más rara! Pero al fijarme vi que la varita de abedul había crecido tanto que tocaba las nubes con la cúspide. Conque por el abedul trepé hasta el cielo y anduve por allí viéndolo todo. Al cabo de un rato pensé que era hora de bajar. Lo malo es que el caballo se había movido de donde estaba, derribando el árbol. ¿Cómo iba a arreglármelas? Con polvo y hollín trencé una cuerda, la até a una nube y empecé a bajar. Así fui bajando, bajando, hasta que se terminó la cuerda. Pero también encontré una solución: corté un trozo de arriba y lo empalmé abajo, corté otro y lo empalmé también. Así continué el descenso. Al fin llegó un momento en que no quedaba nada para cortar y la tierra estaba muy lejos todavía. En esto se puso a soplar el viento con tanta fuerza que a mí me empujaba de un lado para otro en todas las direcciones... Hasta que la cuerda se rompió y yo fui a caer en pleno infierno. Ni sé cómo pude escapar de allí... De verdad, *barin*: estuve en el infierno y allí precisamente es donde vi que a tu padre lo tenían enganchado a un carro cargado de estiércol...

—¡Mentira! ¡Lo que dices es mentira, estúpido!

Eso era, justamente, lo que estaba esperando Iván. Le cobró al *barin* los doscientos rublos de la apuesta y volvió a su casa.

La madre se alegró mucho al verle, llamó a los parientes, a los conocidos, y se organizó un gran banquete.

Yo estuve en el banquete aquel. Bebí vino, bebí hidromiel, y aunque en la boca nada me entró, por los bigotes sí me corrió. Luego me dieron un capirote y me echaron cogido por el cogote. Me dieron un gorro al final y yo me escabullí por el portal. Aquí se termina el cuento, conque dame de miel un cuenco.

Cuento de tiempos muy remotos

Este es un cuento muy antiguo ya,
que además no dice nada de verdad.
A un viejo, muy viejo, tengo que amarrar
a una mujeruca con panza en chaflán.
Y no es un prodigio ni una maravilla,
pues cosas más raras he visto en mi vida.
Un pajar se quema en medio del mar
mientras un velero cruza un patatar.
Y no es un prodigio ni una maravilla,
que cosas más raras se ven en la vida:
lo de la gatita que parió a un becerro,
lo del lechoncillo que ponía huevos...
Y no es un prodigio ni una maravilla,
pues cosas más raras he visto en mi vida.
Ahí van unos hombres poniendo garlitos:
pescan en las calles pero no en los ríos.
Y no es un prodigio ni una maravilla,
pues cosas más raras he visto en mi vida.
Va volando un oso por el firmamento,
moviendo las patas y orejas contento.
Y aunque es rabón, la cola gris le sirve de timón.
A la ardilla en su rama, una yegua le ladra,
una perra con arnés está en una cuadra

206

y ha hecho entre los juncos su nido una cabra.
Tampoco es prodigio ni es gran maravilla
ver bajar del monte a alguna vaquilla,
en esquís, despatarrada y asustada.
No, no es un prodigio ni una maravilla,
que cosas más raras he visto en mi vida:
un hijo que transportaba los haces
en un carro arrastrado por su madre
y su mujercita haciendo de encuarte.
A una con las riendas arreaba
y a la otra, en cambio, la frenaba.
Hay otro portento: una suegra y una nuera
salieron a campo abierto y armaron la gran pelea.
En vez de disparar flechas
tiraban cucharas y espumaderas.
Con ellas mataron a un tártaro que ya estaba muerto.
El *kaftán*** que le quitaron era de arpillera,
la faja de esparto y las botas de madera.
Al rico y roñoso que hace cerveza,
que no nos invita a los buenos mozos,
quiera el Señor darle suspiros de perro y llanto de gato.
Y al pobre dadivoso que sí hace cerveza
y que nos invita a los buenos mozos,
quiera el Señor darle en el campo mieses,
buen grano en las eras,
harina ligera en la amasadera
y hacer que no falte comida en su mesa.
Uno bebió tanta cerveza de esa,
que duerme borracho en el cobertizo.
Junto a la boca tiene un mendrugo
que abulta lo menos lo que gorro y medio...

Un bracero apañado

Un molinero tenía un bracero apañado. El molinero le mandó echar trigo en la tolva y él lo echó en la muela. Al ponerse el molino en marcha, todo el trigo se desparramó. Cuando el amo llegó al molino y vio el trigo desparramado, despidió al bracero.

El bracero volvió a su casa. Camino de su aldea, se extravió. Conque se metió entre unos matorrales y allí se quedó dormido. Llegó un lobo, vio al bracero dormido, se acercó mucho a él y empezó a olisquearle. Entonces el bracero lo agarró por el rabo, lo mató y lo desolló.

Iba el bracero caminando monte arriba, y en lo alto del monte había un molino desierto. En aquel molino se quedó a pasar la noche. Al poco rato vio venir a tres hombres, que eran bandoleros. Entraron en el molino, hicieron lumbre y se pusieron a charlar.

—Mi parte —dijo uno de ellos— voy a esconderla debajo del molino.

—Pues yo meteré la mía debajo de la rueda —dijo otro.

Y el tercero:

—Yo la guardaré en la tolva.

El bracero, que estaba precisamente metido en la tolva, temió que los bandoleros lo mataran. Entonces se le ocurrió ponerse a gritar:

—¡Denis! ¡Tú, quédate abajo! ¡Tú mira para aquel lado, Ivoka! ¡Tú, pequeño, ojo hacia aquella parte! Y yo me pondré aquí. ¡A ellos, muchachos! ¡Que no se escapen!

Los bandoleros, asustados, abandonaron su botín y echaron a correr.

El bracero salió de la tolva, recogió todo lo que habían tirado los bandoleros y se marchó a su casa. Allí les contó al padre y a la madre:

—Esto es todo lo que he ganado en el molino. Vamos ahora al mercado, padre, y nos compraremos una escopeta para dedicarnos a la caza.

Fueron al mercado, compraron una escopeta y cuando regresaban le dijo el bracero al padre:

—Abre bien el ojo por si aparece una liebre, un zorro o una marta.

Al cabo de un rato de camino empezaron los dos a dar cabezadas, hasta que se durmieron del todo. De repente aparecieron dos lobos, mataron al caballo y se lo comieron.

En esto se despertó el padre, pegó un latigazo pensando que le arreaba al caballo, pero le atizó a un lobo. El lobo pegó un salto, fue a meterse de cabeza en la collera y echó a correr tirando del carro conducido por el padre del bracero.

El otro lobo corría detrás, intentando clavarle los dientes al bracero. Este lobo tenía una mella. El bracero le largó un latigazo. El lobo quiso agarrar el látigo con los dientes. Pero el látigo tenía un nudo y se quedó atascado en la mella. El bracero tiró y lo llevó a rastras detrás del carro. De manera que un lobo tiraba del carro y otro iba arrastrando detrás.

Llegaron por fin delante de la casa. Los perros corrieron hacia el carro ladrando. Los lobos se asustaron. Uno pegó una espantada tan brusca que el carro se volcó. El bracero y su padre cayeron al suelo. El lobo que se había metido en la collera logró librarse de ella y al bracero se le escapó el látigo de las manos. Así escaparon los dos lobos mientras el bracero y su padre se quedaban con tres cuartas de narices.

Desde entonces, vivieron tan ricamente en una casa abierta a todos los vientos, hecha de tres varas empalmadas y tres postes mal clavados, con el cielo por tejado y una sombra de cercado.

Iván-el-tonto

En cierto reino, en cierto país, vivía un viejo con su vieja. Tenían tres hijos. Al menor le llamaban Iván-el-tonto. Los dos mayores estaban casados, pero Iván-el-tonto seguía soltero. Los dos mayores eran hombres de provecho: gobernaban la hacienda, sembraban y labraban, mientras que el tercero no hacía nada.

El padre y las nueras mandaron una vez a Iván al campo a terminar de arar un pedazo de tierra. El muchacho llegó al campo, enganchó el caballo, abrió un par de surcos y vio que había una nube de mosquitos revoloteando encima. Agarró una varita y mató a un montón de ellos pegándole en un flanco al animal. Le pegó en el otro flanco y mató a cuarenta tábanos. «A mí no hay quien me pueda —pensó—. Cuarenta *bogatires* he matado de una vez, además de la purrela, que ni siquiera la conté».

Amontonó todos los insectos y los recubrió con estiércol del caballo. Abandonó la labranza, desenganchó el caballo y volvió a su casa. Allí les dijo a las cuñadas y a la madre:

—¡Venga una manta y una silla de montar! Y tú, padre, dame el sable que tienes ahí. Se está poniendo roñoso colgado en la pared. ¿Qué clase de hombre soy si no tengo ninguna de esas cosas?

Sus parientes se burlaron de él y, para mayor escarnio, le dieron un escabel roto. Nuestro Iván le ajustó una cincha y se lo puso al jamelgo. En lugar de manta, su madre le dio una estera vieja, y él

210

también la cogió, así como el sable de su padre, que afiló muy bien, y, hechos sus preparativos, se puso en camino.

Llegó a una encrucijada. Como sabía un poco de letra, escribió en un poste que invitaba a los recios *bogatires* Ilyá Múromets y Fiodor Lízhnikov a que fueran a tal país a encontrarse con un recio *bogatir* que había matado a cuarenta de una vez, sin contar la purrela de a pie, y no les dio más sepultura que un montón de basura.

Al poco rato pasó efectivamente por allí el recio *bogatir* Ilyá Múromets, leyó la inscripción del poste y dijo:

—¡Oh! Por aquí ha pasado un recio *bogatir* al que no conviene desobedecer.

Espoleó el caballo y pronto alcanzó a Iván. Se quitó el gorro y saludó:

—Salud te deseo, recio y forzudo *bogatir*.

Iván contestó, sin tomarse el trabajo de descubrirse:

—Hola, Ilyuja.

Siguieron el camino juntos.

Poco después llegó también al poste Fiodor Lízhnikov, leyó lo que había allí escrito, y tampoco quiso desobedecer. Hizo lo mismo que había hecho Ilyá Múromets, pronto dio alcance a Iván y le saludó quitándose el gorro:

—Salud te deseo, recio y forzudo *bogatir*.

Iván contestó, sin tomarse el trabajo de descubrirse:

—Hola, Fediuja.

Siguieron el camino los tres juntos. Llegaron a cierto país y se detuvieron en los prados reales. Los *bogatires* montaron sus tiendas. Iván extendió su estera. Los *bogatires* trabaron a sus caballos con trabas de seda. Iván arrancó una varita de un árbol, la trenzó y con ella trabó a su jamelgo. Y allí se quedaron. El zar de aquel país vio desde sus aposentos que había gente pisoteando sus preciosos prados y en seguida mandó a uno de sus cortesanos a enterarse de quiénes eran.

El cortesano llegó a los prados, se acercó a Ilyá Múromets y le preguntó quiénes eran y cómo se habían atrevido a meterse en los prados reales sin pedir permiso. Ilyá Múromets contestó:

—Eso no es cosa nuestra. Pregunta al que nos manda, que es aquel recio y forzudo *bogatir*.

El emisario se acercó a Iván. Pero Iván se puso a gritar antes de que pronunciara una sola palabra:

—¡Largo de aquí mientras todavía puedes marcharte por tu pie! Y dile al zar que a sus prados ha llegado un recio y forzudo *bogatir* que ha matado a cuarenta de una vez, sin contar la purrela de a pie, y no les dio más sepultura que un montón de basura, que le acompañan Ilyá Múromets y Fiodor Lízhnikov, y que quiere casarse con la hija del zar.

El emisario se lo refirió así al zar. Este agarró las listas de *bogatires*, y allí estaban Ilyá Múromets y Fiodor Lízhnikov, pero no el que mataba a cuarenta de una vez. El zar ordenó entonces formar un ejército, apresar a los tres *bogatires* y conducirlos a su presencia. ¿Apresarlos? Eso se dice muy pronto.

Iván vio que se aproximaban las tropas y gritó:

—¡Ilyuja! ¿Qué gente es esa? ¡Échalos de aquí!

Pero él siguió tendido cuan largo era y mirándolo todo muy enfadado.

Nada más escuchar estas palabras, Ilyá Múromets montó en su caballo y lo lanzó contra las tropas del zar. Más estragos hizo con los cascos de su caballo que con su brazo. Hasta que acabó con todos, dejando solo a los paganos.

Enterado del desastre, el zar reunió un ejército más numeroso todavía y lo envió para apresar a los *bogatires*.

Iván-el-tonto gritó:

—¡Fediunka! Echa de aquí a esa gentuza.

Fiodor Lízhnikov montó en su caballo y acabó con todos, dejando solo a los paganos.

¿Qué podía hacer el zar después de que los *bogatires* le habían matado a tanta gente? Se quedó pensando y recordó que en su reino habitaba un recio *bogatir* llamado Dobrinia. Le envió un mensaje pidiéndole que viniera a vencer a los tres *bogatires*. Dobrinia se presentó y el zar salió a recibirle al balcón del tercer piso. Dobrinia llegó hasta el balcón sin echar pie a tierra y se encontró a la misma altura que el zar. ¡Así era él! Saludó, estuvieron hablando y luego partió hacia los prados reales.

Ilyá Múromets y Fiodor Lízhnikov vieron venir a Dobrinia, se asustaron, montaron en sus caballos y se largaron de allí.

Pero a Iván no le dio tiempo. Mientras atrapó a su jamelgo, Dobrinia estaba ya encima de él, riéndose de que aquel hombre tan pequeñajo, tan enclenque, se llamara *bogatir*. Había agachado la cabeza hasta la altura de Iván para verle mejor y lo miraba asombrado.

Ni corto ni perezoso, Iván enarboló su sablecillo y le cortó la cabeza.

El zar que lo vio, se llevó un susto tremendo.

—¡Ay! —exclamó—. El *bogatir* ha matado a Dobrinia. ¡Menudo apuro! ¡Que vaya alguien corriendo a invitar a los *bogatires* a palacio!

¡Había que ver la comitiva que se organizó para ir a buscar a Iván! Las carrozas mejores, los personajes de más campanillas...

Le invitaron a montar en una carroza y le condujeron ante el zar.

El zar le agasajó muy bien y le dio a su hija por esposa. Se casaron y allí están todavía gozando de la vida.

Yo estuve allí también, bebí hidromiel. Me corrió por el bigote, pero no me entró en el gañote. Me dieron un gorro de colores y la emprendieron conmigo a empellones. Cuando me iba a marchar, me dieron un *kaftán*. Un paro gritó al volar: «¡Un *kaftán* color añil!» Yo entendí: «¡Deja el *kaftán* ahí!». Me lo quité y lo dejé.

Esto no es el cuento, sino solo el comienzo. Por si lo quieres saber, el cuento vendrá después.

Fomá Berénnikov

Érase una vieja que tenía un hijo tuerto llamado Fomá Berénnikov. Un día fue Fomá a labrar. Viendo el jamelgo tan escuálido que tenía, le entró pena y se sentó muy cabizbajo... Allí cerca había un montón de estiércol y las moscas se arremolinaban encima zumbando. Fomá agarró una vara, pegó con ella en el estiércol y luego se puso a contar cuántas moscas había matado. Contó hasta quinientas, pero aún quedaban muchas. Fomá decidió que era imposible contarlas.

Fue hacia su caballo. Se habían posado en él doce tábanos. Fomá los mató a todos.

Regresó entonces Fomá Berénnikov donde su madre para pedirle su más devota bendición.

—De tropa menuda, he matado un número incalculable. Y, además, a doce recios *bogatires*. Déjame que emprenda grandes hazañas, *mátushka*. En cuanto a labrar la tierra, eso no es cosa de *bogatires*, sino de campesinos.

La madre le dio su bendición para grandes proezas y hazañas de *bogatir*.

Fomá se echó a la espalda una hoz mellada y del cinto se colgó un cuchillo, también mellado, dentro de una funda de esparto.

Caminando por tierras desconocidas se encontró Fomá frente a un poste. Rebuscó en el bolsillo, donde no llevaba oro ni plata, pero sí un trozo de yeso, y escribió en el poste: «Por aquí pasó el *bogatir*

214

Fomá Berénnikov, que de un golpe mata a doce recios *bogatires*, sin contar un número infinito de gente menuda». Luego siguió adelante.

Acertó a pasar por aquel camino Ilyá Múromets. Al leer lo que había escrito en el poste, dijo:

—Se ve la garra del *bogatir:* no gasta oro ni plata, sino yeso.

Entonces escribió él con plata: «Después de Fomá Berénnikov pasó por aquí el *bogatir* Ilyá Múromets». Se conoce que aquellas palabras escritas con yeso le asustaron porque, cuando dio alcance a Fomá Berénnikov, le preguntó:

—¿Cómo debo caminar, recio *bogatir* Fomá Berénnikov? ¿Delante o detrás?

—Sigue detrás —contestó Fomá.

También llevaba el mismo camino Aliosha Popóvich. Divisó el poste desde lejos y la inscripción que fulguraba en él. Cuando leyó lo que habían escrito Fomá Berénnikov e Ilyá Múromets, sacó oro puro del bolsillo y añadió: «Después de Ilyá Múromets pasó por aquí Aliosha Popóvich el joven». Luego dio alcance a Ilyá Múromets y le preguntó:

—Dime, Ilyá Múromets, dime: ¿debo caminar delante o detrás?

—Eso no me lo preguntes a mí, sino a Fomá Berénnikov, que es el hermano mayor.

Se adelantó Aliosha Popóvich el joven hasta Fomá Berénnikov:

—Bizarro guerrero Fomá Berénnikov: ¿dónde ordenas que vaya Aliosha Popóvich?

—Ve detrás.

De este modo fueron caminando por tierras desconocidas hasta llegar a unos vergeles. Ilyá Múromets y Aliosha Popóvich montaron sus blancas tiendas y Fomá Berénnikov colgó unos calzones.

Aquellos vergeles eran propiedad de un zar —el zar de Prusia—, a quien había declarado la guerra el rey de China con seis recios *bogatires*. Conque el zar de Prusia le mandó a Fomá Berénnikov un despacho donde decía:

—A nos, zar de Prusia, ha declarado la guerra el rey de China. ¿Puedo contar con vuestra ayuda?

Fomá, que no andaba muy bien de letra y escritura, echó una ojeada al despacho, sacudió la cabeza y dijo:

—Está bien.

En esto, el rey chino había llegado ya muy cerca de la ciudad. Ilyá Múromets y Aliosha Popóvich, el joven, acudieron a Fomá Berénnikov:

—Ya está cerca de la ciudad para atacar al zar. Hay que ayudarle. ¿Vas tú o nos mandas a nosotros?

—Ve tú solo, Ilyá.

Ilyá Múromets los mató a todos. Pero el rey de China volvió con seis *bogatires* más y un ejército inmenso. Ilyá Múromets y Aliosha Popóvich acudieron a Fomá Berénnikov:

—Dinos, Fomá Berénnikov, dinos, ¿vas tú o nos mandas a nosotros?

—Ve tú, hermano, Aliosha Popóvich el joven.

Fue Aliosha Popóvich el joven, destruyó el inmenso ejército y mató a los otros seis recios *bogatires*.

Entonces dijo el rey de China:

—Tengo todavía un *bogatir*. Lo reservaba para que continuara su raza, pero también le haré combatir ahora.

Conque trajo un ejército inmenso y, con él, a un recio *bogatir*, el que más apreciaba. A él le dijo el rey:

—El *bogatir* ruso no nos vence por la fuerza, sino por la astucia. Conque tú debes hacer todo lo que haga el *bogatir* ruso.

Ilyá Múromets y Aliosha Popóvich el joven acudieron a Fomá Berénnikov.

—¿Irás tú al combate o nos mandas a nosotros?

—Iré yo. Traedme mi caballo.

Los corceles de los *bogatires* andaban por el campo comiendo hierba mientras el jamelgo de Fomá se atiborraba de avena sin moverse del sitio. De tanto comer, ya tenía resabios, y cuando Ilyá Múromets se acercó, empezó a tirarle coces y a morderle. Tanta rabia le dio a Ilyá Múromets que agarró de la cola al caballo de Fomá y lo arrojó por encima de la cerca.

—¡Cuidado no nos vea Fomá Berénnikov! —advirtió Aliosha Popóvich—. Iba a darnos una buena...

—Has de saber que la fuerza no está en el caballo, sino en el jinete —contestó Ilyá Múromets mientras conducía el jamelgo aquel a Fomá Berénnikov.

Fomá montó a caballo pensando: «Aunque me maten, lo prefiero al deshonor». A todo esto, cabalgaba pegado a las crines de su montura y con los ojos guiñados.

Recordando las recomendaciones de su rey, el *bogatir* chino también se inclinó sobre las crines de su montura y guiñó los ojos.

Fomá se apeó del caballo, fue a sentarse encima de una piedra y empezó a afilar su hoz.

El *bogatir* chino le imitó: bajó de su fuerte corcel y empezó a afilar su sable. En esto vio que Fomá Berénnikov era tuerto de un ojo y pensó: «Si él ha cerrado un ojo, yo seré más listo y cerraré los dos».

No hizo más que cerrarlos, y Fomá Berénnikov le cortó la cabeza. Luego se apoderó de su fuerte corcel y quiso cabalgarlo, pero no alcanzaba. Fomá lo ató entonces a un roble centenario, trepó por las ramas y se dejó caer desde arriba en la silla.

Al notar el golpe, el caballo pegó una espantada, arrancó el roble de cuajo y emprendió una loca carrera con todas sus fuerzas, arrastrando el roble gigantesco.

Fomá Berénnikov gritaba:

—¡Socorro! ¡Socorro!

Y los tontos de los chinos, que no entendían el ruso, huyeron espantados. En su carrera, el gigantesco caballo los pisoteaba y aplastaba con el roble centenario... ¡Hasta que terminó con todos!

El rey de China le envió entonces a Fomá Berénnikov un despacho diciendo:

—Nunca más guerrearé contra ti.

¿Qué más quería Fomá Berénnikov? En cuanto a Ilyá Múromets y Aliosha Popóvich, estaban admirados de él.

Finalmente se presentó Fomá ante el zar de Prusia.

—¿Qué recompensa prefieres? —le preguntó el zar—. Puedo darte cuanto dinero desees o la mitad de mi hermoso reino o a mi hija, una linda princesa.

—Dame a la linda princesa y que asistan a la boda mis hermanos menores Ilyá Múromets y Aliosha Popóvich el joven.

Conque Fomá Berénnikov se casó con la linda princesa. De lo que se desprende que no solo tienen suerte los *bogatires*. A menudo, el que más se jacta es el que sale mejor parado.

*　*　*

En cierto reino vivía Fomá Berénnikov, un campesino tan fuerte y orondo que si un gorrión le rozaba con el ala al pasar, le tiraba al suelo. Como todo el mundo se metía con él, la vida le resultaba tan ingrata que pensó: «¡Voy a ahogarme!» Y se encaminó a un pantano.

Las ranas, al verle venir, se tiraron de cabeza al agua. «Ya no me ahogo —pensó entonces Fomá—. También a mí me tienen miedo».

Conque volvió a su casa. Se preparó para ir a labrar. El caballo que tenía era un pobre rocín, derrengado de tanto trabajar. La collera le había hecho mataduras en el cuello y encima le acosaba una nube de tábanos y de moscas. Fomá se acercó, le dio una palmada —de un manotazo echó cien abajo— y entonces dijo:

—¡Pero si soy un *bogatir*! Se acabó el labrar. Yo lo que quiero es guerrear.

Los vecinos se reían de él:

—¿Guerrear tú, imbécil? ¡Si solo vales para echar de comer a los cerdos!

Pero de nada sirvió: Fomá había decidido que era un *bogatir*. Agarró un hacha mellada y un cuchillo grande de hacer teas, se puso una vieja casaca y un gorro alto de punto, montó en su jamelgo y cabalgó al azar hacia campo abierto. Allí plantó un poste y escribió en él: «Voy a guerrear a otras ciudades: de un manotazo echo cien abajo».

Apenas se había apartado de allí, llegaron cabalgando dos recios *bogatires*. Al leer la inscripción, dijeron:

—¿Quién será ese *bogatir*? ¿Hacia dónde habrá ido? Ni por las huellas ni por las trazas parece muy famoso.

Se lanzaron tras él por el camino. Al verlos, Fomá les preguntó:

—¿Quiénes sois?

—La paz sea contigo, buen hombre. Somos unos recios *bogatires*.

—¿Y cuántas cabezas cortáis de un golpe?

—Cinco —contestó uno.

—Diez —dijo el otro.

—¿Y decís que sois recios *bogatires*? ¡Si no valéis nada! ¡Yo sí que soy un *bogatir*! De un manotazo, echo cien abajo.

—Llévanos contigo y serás nuestro hermano mayor.

—Bueno, pues seguidme —aceptó Fomá.

Los recios *bogatires* se colocaron detrás de él y juntos siguieron hacia los cotos reales. Llegaron, se tumbaron a descansar y soltaron a los caballos para que pastaran la sedosa hierba. Al cabo de algún tiempo —no sé si poco o mucho porque los cuentos se cuentan pronto, pero las cosas se hacen despacio—, los descubrió el zar.

—¿Quiénes son esos palurdos que andan por mis prados como por su casa? —exclamó—. Conque nunca había asomado por aquí el hocico ningún bicho ni el ala ningún pájaro, y ahora se presenta esa gentuza...

Inmediatamente reclutó un gran ejército y le dio orden de despejar sus cotos. Las tropas, numerosísimas, se pusieron en marcha. Cuando los recios *bogatires* las vieron, fueron a informar al que habían aceptado como hermano mayor.

—Id a enteraros de lo que ocurre —les contestó Fomá—, y así veré yo lo valientes que sois.

Los *bogatires* montaron en sus buenos caballos, los lanzaron contra las tropas enemigas, arremetieron como los halcones resplandecientes caen sobre una bandada de palomas, los aplastaron y los acuchillaron a todos.

«Esto no marcha», pensó el zar, y volvió a reclutar un gran ejército, el doble que el anterior, y al frente de todas las tropas mandó a un gigante muy forzudo, igual de alto que un monte, que tenía la cabeza como un barril de cerveza y la frente como un ojo de puente.

Montó Fomá en su jamelgo, cabalgó al encuentro del gigante y le dijo:

—Tú eres un recio *bogatir* y yo lo soy también. A dos apuestos guerreros como nosotros no nos daría honor ni fama ponernos a pelear sin saludarnos. Es un tributo que nos debemos el uno al otro antes de comenzar la lid.

—De acuerdo —contestó el gigante.

Se apartaron el uno del otro para saludarse. El gigante tardó media hora en inclinar la cabeza, y otra media necesitaba para levantarla. A Fomá, pequeño pero listo, le pareció que era demasiado esperar. Empuñó el cuchillo de las teas, pegó un par de tajos y la cabeza del gigante salió rodando.

Las tropas, espantadas, se dispersaron. Fomá se montó entonces en el caballo del gigante y corrió detrás, pisoteándolas bajo los cascos de su montura.

El zar no tuvo más remedio que darse por vencido. Hizo llamar al recio *bogatir* Fomá Berénnikov y a sus dos hermanos menores, los agasajó y los trató con todos los honores, y luego le dio a Fomá por esposa a la princesa, su hija, con la mitad de su reino como dote.

Al cabo del tiempo —no sé si poco o mucho porque los cuentos se cuentan pronto, pero las cosas se hacen despacio— atacó aquel reino un soberano musulmán con un inmenso ejército, exigiendo como rescate un tributo muy elevado. El zar, que no quería pagar aquel tributo, equipó a sus valerosas tropas, las puso bajo el mando de su yerno con la orden expresa de que todos se fijaran en Fomá para hacer exactamente lo que él hiciera.

Fomá se puso en marcha para ir a combatir. Se metió en un bosque, y las tropas le siguieron. Cortó un abedul, y los soldados cortaron un abedul cada uno. Llegaron a la orilla de un río profundo, pero no había ningún puente y tenían que dar un rodeo de doscientas verstas para seguir adelante. Fomá arrojó su abedul al agua y todos los soldados arrojaron los suyos también. De esa manera atajaron el río y lo cruzaron.

El soberano musulmán se había apostado en una ciudad muy fuerte. Fomá se detuvo delante, encendió una hoguera, se quedó en cueros y se sentó cerca del fuego para calentarse. Así que lo vieron, los soldados se pusieron inmediatamente a recoger ramas secas, a cortar leña, y encendieron hogueras por todo el campamento.

«No vendría mal tomar un bocado», se dijo Fomá Berénnikov. Sacó un bollo de su macuto y empezó a comer. De repente apareció por allí un perro, le arrancó el bollo de las manos y echó a correr. Fomá agarró un tronco de la hoguera y, en cueros como estaba, se lanzó detrás a carrera abierta, gritando con todas sus fuerzas:

—¡A ese! ¡A ese!

Viendo lo que hacía Fomá, los soldados, que también estaban en cueros junto a las hogueras, se levantaron como por resorte, agarraron troncos ardiendo de las hogueras y corrieron tras él.

El perro aquel, que era del soberano musulmán, corrió derecho a la ciudad y se metió en el palacio. Fomá siguió al perro y los soldados siguieron a Fomá incendiándolo todo sin piedad. El pánico cundió por la ciudad y el soberano, que del susto no sabía qué hacer, pidió firmar la paz. Pero Fomá no aceptó: hizo prisionero al soberano y sometió todo su reino.

Al volver de la campaña fue recibido por el zar con grandes honores: hubo bandas de música, salvas de artillería, las campanas se echaron al vuelo y se organizó un gran festín.

Yo estuve allí también. Bebí vino, bebí hidromiel. Por los bigotes me corrió, pero en mi boca nada entró. Comí de la berza que había, pero me quedé con la panza vacía. Entonces me dieron un capirote para echarme cogido del cogote. Me dieron un gorro al final, y me escabullí por el portal.

Me dieron un *kaftán* azul. Llegó una bandada de pájaros gritando: «¡Mira qué *kaftán* azul, mira qué *kaftán* azul!». Yo entendí: «¡Tira ese *kaftán* azul!». Me lo quité y en el camino lo tiré. Me dieron unas botas encarnadas. Pasaron unos cuervos gritando: «¡Unas botas encarnadas!». Yo entendí: «¡Esas botas son robadas!». Me las quité y también las tiré. Me dieron un corcel hecho de cera, una fusta de guisantes para arrear y unos nabos para hacer el cabezal. Vi a un campesino junto a una hoguera que había encendido para secar el granero. Se me ocurrió dejar el caballo allí cerca, y se derritió en goterones de cera. La fusta se la comieron las gallinas, y con los nabos del cabezal unos cerdos hicieron igual.

Cuento de la mujer marimandona

Una mujer marimandona le hacía la vida imposible a su marido sin obedecerle en nada. ¿Que el marido le mandaba levantarse temprano? Ella se pasaba tres días durmiendo. ¿Que el marido le mandaba dormir? Ella no pegaba ojo. ¿Que el marido le mandaba hacer unas torrijas? Ella contestaba:

—¡Tú no mereces comer torrijas, bribón!

El marido decía, por ejemplo:

—Mujer, no hagas torrijas, puesto que no merezco comerlas.

Ella, entonces, hacía la fuente más grande que encontraba y decía:

—¡Come, bribón, que para eso las he hecho!

—Mujer —decía otra vez—, hoy no guises ni vayas a la siega. No quiero que te canses.

Y ella:

—¡Pues claro que iré, bribón! Y tú detrás de mí.

Aburrido de tanto bregar con ella, se fue el hombre a recoger bayas al bosque para distraerse un poco, encontró unas matas de grosellas y, entre ellas, descubrió un agujero que parecía sin fondo. Al asomarse pensó: «¿Por qué he de sufrir tanto viviendo con esa marimandona? ¿Y si la metiera ahí dentro un poco de tiempo para darle una lección?».

Conque volvió a su casa y dijo:

—Oye, mujer: no vayas a recoger bayas al bosque.

—¡Ya lo creo que iré, desgraciado!

—Es que he encontrado unas matas de grosellas y no quiero que las cojas tú.

—¡Quia! Iré yo, las cogeré todas y no te daré a ti.

El hombre volvió al bosque y la mujer le siguió. Llegaron al grosellero, la mujer se lanzó a él como una fiera, gritando a voz en cuello:

—¡No te acerques, bribón! ¡No te acerques, o te mato!

Y como, a todo esto, iba metiéndose más entre las matas, ¡zas, allá fue al hoyo!

El hombre volvió encantado a su casa, pasó tres días como en la gloria, pero al cuarto fue a ver cómo se encontraba. Agarró una cuerda muy larga, la echó por el agujero y cuando tiró de ella sacó un diablejo. Espantado, quiso volver a tirarlo dentro, pero el diablejo se puso a pegar voces rogándole:

—¡No vuelvas a echarme ahí dentro, por lo que más quieras! ¡Déjame aquí! Nos ha caído encima una mujer que es una fiera: nos ha mordido, nos ha pellizcado... ¡Es algo espantoso! Si me dejas aquí, yo sabré pagarte el favor.

Conque el campesino le permitió quedarse en este mundo de Dios, en la santa Rus. El diablejo propuso entonces:

—Mira, campesino: ven conmigo a la ciudad de Vólogda. Yo me dedicaré a poner enferma a la gente y tú a curarla.

Efectivamente, el diablejo empezó a meterse en el cuerpo de las mujeres y las hijas de los mercaderes, y ellas iban poniéndose pachuchas y enfermas. Pero en cuanto el campesino acudía a una casa donde se encontraba alguna de esas enfermas, su amigo el diablejo escapaba de allí y todo volvía a su curso normal. Y toda la gente, claro, convencida de que el campesino entendía de medicina, venga a darle dinero, a agasajarle con pastelillos...

De este modo reunió el campesino una buena cantidad de dinero. Entonces dijo el diablejo:

—Me parece que ya está bien, ¿verdad? ¿Estás satisfecho? Bueno, pues ahora voy a meterme en el cuerpo de la hija de un boyardo. No se te ocurra decir que vas a curarla a ella porque entonces te devoraré.

La hija del boyardo cayó enferma, y tan desquiciada estaba que pedía comer carne humana.

El boyardo ordenó buscar al campesino que curaba a la gente.

El campesino se presentó en la mansión del boyardo y le pidió ordenar que todos los habitantes de la ciudad y todos los carruajes con sus cocheros se concentraran frente a aquella casa y luego se pusieran a pegar latigazos a diestro y siniestro gritando a voz en cuello: «¡Ahí viene la marimandona! ¡Ahí viene esa fiera!».

Entró el campesino en los aposentos. El diablejo se puso furioso con él.

—¿A qué has venido, ruso? Ahora te devoraré.

—¿Pero qué dices? —protestó el campesino—. No he venido a echarte. He venido, porque me ha dado pena de ti, a decirte que ahí está la mujer marimandona.

El diablejo se subió de un salto a la ventana, miró con los ojos desorbitados y vio que todos gritaban: «¡Ahí viene la marimandona! ¡Ahí viene esa fiera!».

—¡Campesino! —suplicó el diablejo—. ¿Dónde podría meterme, di?

—Vuelve al agujero donde estabas. Seguro que ella no irá más por allí.

El diablejo así lo hizo y se encontró otra vez con la mujer marimandona.

El boyardo, para demostrarle su gratitud al campesino, le dio a su hija por esposa y la mitad de su hacienda como dote.

En cuanto a la mujer marimandona, en el agujero sin fondo sigue.

*   *   *

—*Bátiushka*, quiero casarme. Quiero casarme, *mátushka* —decía un buen mozo a sus padres.

—Pues cásate, hijito.

Y se casó. ¡Pero qué mujer fue a elegir! Larguirucha, renegrida de color, bizca... Sin embargo, como le gustó más que ninguna cuando la vio, la culpa era suya y no podía echársela a nadie más. El caso es que la vida era un verdadero infierno con ella.

Una vez fue a una de esas asambleas donde los aldeanos discuten sus asuntos. Estuvo allí un rato y volvió a su casa.

—¿Dónde has estado, holgazán? —preguntó la mujer bizca—. ¿Qué dicen por ahí?

—Pues dicen que hay un zar nuevo y ha dictado un nuevo *ukaz**: ahora son las mujeres las que deben mandar en los maridos.

El marido lo decía en broma, pero ella se lo tomó muy en serio. Y empezó:

—Ve al río a lavar las camisas... Coge la escoba y barre la casa... Y mece al niño, que está en la cuna... Y amasa la pasta para los pastelillos.

A punto estuvo el marido de protestar: «¿Qué dices? Esos no son quehaceres de hombre». Pero no hizo más que mirarla y se quedó frío, con la lengua pegada al paladar. Fue a lavar la ropa, amasó la pasta, barrió la casa... Pero nada le pareció bien a la mujer.

Pasó un año, luego otro, y el buen mozo estaba harto de verse tan mal tratado. ¿Pero qué podía hacer? El que se casa se compromete para toda la vida, aunque la vida puede durar mucho. Tan desesperado estaba que se le ocurrió una idea. Había en el bosque un hoyo muy profundo: tanto que no se veía dónde terminaba. Fue el hombre, lo recubrió con unas ramitas y echó un poco de paja por encima. Luego volvió donde su mujer y le dijo:

—¿Sabes, mujer, que hay un tesoro en el bosque? Se oye cómo ruedan las monedas de oro, pero no hay manera de echarles mano. Yo estuve al ladito, viéndolo como te veo a ti, pero no pude agarrarlo. «Que venga tu mujer», me dijo.

—¡Ah! Pues, vamos... Vamos corriendo. Te advierto que lo cogeré para mí y no te daré a ti ni esto...

Fueron los dos al bosque.

—Cuidado, mujer. Aquí, cerca del tesoro, el terreno no está muy firme.

—¡Qué estúpido eres! De todo tienes miedo. Mira cómo salto yo.

Pegó un brinco sobre la paja y se cayó en el hoyo.

—¡Buen viaje! —murmuró el hombre—. Ahora podré descansar.

Y sí que descansó un mes, y dos, pero luego empezó a aflorar a la bizca. Fuera donde fuera —al bosque, al campo o al río—, siempre pensaba en ella.

—A lo mejor se ha vuelto más tranquila y bondadosa —se dijo—. Iré a sacarla.

Ató una cuerda a un cesto, lo echó por el agujero y cuando notó un peso empezó a tirar. Ya estaba el cesto casi a ras de tierra cuando al fijarse vio que dentro subía un diablejo. Tanto se asustó que estuvo a punto de soltar la cuerda. Pero el diablejo le suplicó a gritos:

—¡Sácame de aquí, buen hombre! Mira que tu mujer nos tiene a todos locos a fuerza de dar órdenes... Si haces lo que te pido, yo te serviré toda la vida. Mira: yo voy a ir colándome en las casas de los boyardos, armo allí el gran zafarrancho, metiendo mucho ruido, sin dejarles vivir una hora tranquilos. Ellos empezarán a buscar a algún curandero. Te presentas tú, me pegas unos gritos y yo me marcho. A ti no te quedará más trabajo que embolsarte el dinero.

El hombre sacó el cesto. El diablejo salió de un brinco, se sacudió y ¡pies, para qué os quiero...! Aquel mismo día empezaron a ocurrir cosas raras en la mansión de un boyardo. Se pusieron a buscar a un curandero. El buen mozo se presentó como tal, echó al diablo de allí y recibió una buena recompensa.

Pronto corrió el rumor de que en el palacio del príncipe, en los lujosos aposentos, habían aparecido duendes que no les dejaban un momento de tranquilidad. De punta a punta de la tierra habían enviado emisarios en busca de curanderos. Y de todos los reinos habían acudido, pero como si nada... Los duendes seguían metiendo ruido y alboroto.

También se presentó nuestro amigo y, al reconocer a su viejo conocido, empezó a pegarle gritos y a escupir para que se marchara. Pero el diablejo no pensaba irse de allí ni por lo más remoto: le había tomado gusto a vivir en un palacio principesco.

—¿Ah, sí? Pues espera —gritó el curandero—. ¡Eh, bizca, ven aquí!

Eso fue demasiado para el diablejo. Abandonó de un salto el rincón de la estufa donde se había escondido y salió de estampía.

Desde entonces, todo fueron honores, fama y dinero para el curandero. Pero bien dicen que incluso en el paraíso es mala la soledad. A nuestro buen mozo le entró la murria y fue otra vez en busca de la mujer bizca. Ató una cuerda a un cesto, lo echó en el agujero y tiró cuando notó que se había metido dentro la mujer.

Tira que tira, el cesto llegaba ya casi a la boca del agujero. La mujer subía rechinando los dientes y amenazando con los puños. Al hombre le temblaron las manos del susto. Se le escapó la cuerda, ¡y allá fue a parar de nuevo al infierno la mujer bizca...!

La mujer porfiona

Un campesino tenía una mujer gruñona y testaruda. Como se le antojara algo, ya estaba atosigando al marido hasta que lo conseguía.

Además, era muy aficionada a apropiarse del ganado ajeno. En cuanto entraba un animal cualquiera en su corral, ya estaba diciéndole al marido que era suyo. El marido estaba verdaderamente harto.

Conque una vez se metieron en su corral unos gansos del *barin*.

—¿De quién son estos gansos, marido? —preguntó la mujer.

—Del *barin*.

—¡No, no son suyos! —gritó rabiosa, y se tiró al suelo—. ¡Ay, que yo me muero! ¿De quién son los gansos, di?

—Del *barin*.

La mujer venga a quejarse, a gemir. El marido se inclinó hacia ella.

—¿Por qué te quejas así?

—¿De quién son los gansos?

—Del *barin*.

—Me muero. Llama al pope corriendo.

El marido mandó en busca del pope. El pope se puso en camino.

—Ahora viene el pope —dijo el marido.

—¿De quién son los gansos? —preguntó la mujer.

—Del *barin*.

—Bueno, pues que entre el sacerdote. Yo me muero.

Conque se confesó, le dieron la extremaunción y se marchó el pope. De nuevo preguntó el marido:

—¿Qué te ocurre, mujer?

—¿De quién son los gansos?

—Del *barin.*

—Yo me muero. Que preparen un ataúd.

Prepararon un ataúd. El marido se acercó.

—El ataúd está listo, mujer.

—¿De quién son los gansos?

—Del *barin.*

—Bueno, ya estoy muerta del todo. Méteme en el ataúd.

La metieron en el ataúd y llamaron al pope. El marido se inclinó hacia la mujer y dijo en voz baja:

—Ya se llevan el ataúd a la iglesia para el responso.

Y ella, en un susurro:

—¿De quién son los gansos?

—Del *barin.*

—Que me lleven a la iglesia.

Levantaron el ataúd, lo llevaron a la iglesia, dijeron el responso... El marido se acercó:

—Ha terminado el responso. Ahora te llevarán al cementerio.

—¿De quién son los gansos? —preguntó la mujer con un hilo de voz.

—Del *barin.*

—Que me lleven al cementerio.

Así lo hicieron. Antes de que cerrasen el ataúd y lo bajaran a la sepultura, se acercó el marido:

—Mujer: van a bajar el ataúd a la sepultura y en seguida lo recubrirán de tierra.

—¿De quién son los gansos? —murmuró ella.

—Del *barin.*

—Que bajen el ataúd y echen tierra encima.

El ataúd fue descendido a la sepultura y recubierto de tierra.

Así acabaron los gansos del *barin* con aquella mujer porfiona.

La mujer acusica

Un campesino había ido en busca de trabajo a otros lugares, pero no ganó ni un kopek y regresó a su casa.

Se aproximaba ya a su aldea preguntándose cómo se presentaba en su casa sin dinero cuando se cruzó con un rico judío. El campesino le atizó un hachazo, dejándole en el sitio, se apoderó del dinero que llevaba y escondió el cadáver entre unos matorrales.

Ya en su casa, la mujer empezó a preguntarle al ver tanto dinero:

—¿De dónde has sacado todo eso?

Y al campesino se le escapó:

—He matado a un caminante y he escondido el cadáver entre unos matorrales. Ten mucho cuidado y no se lo cuentes a nadie, mujer.

Pero luego le entró un comecome que le tenía en vilo.

—Mira que si se va de la lengua... —se decía—. Porque ya se sabe lo que son las mujeres... Pelo largo y seso corto. Me puede buscar la perdición.

Corrió al campo, arrastró el cuerpo del judío hasta otro sitio, lo enterró en lo más tupido del bosque y en su lugar dejó un carnero degollado entre los matorrales. Luego compró una medida grande de peras y las prendió en las ramas de un olmo. Ese olmo estaba, precisamente, junto al camino que conducía a la mansión de los señores.

Pasó un día, y la mujer callada. Pasó otro día, y lo mismo. Pero al tercero la enredó el demonio. Como el marido faltaba a menudo de casa, la mujer se había echado de amigo a un buen mozo. El marido se enteró y la emprendió a golpes con ella.

—¡Bandido! —gritaba la mujer—. ¿Te parece poco haber matado y robado a un hombre? ¡Ahora también quieres terminar conmigo a palos! Vamos a casa del *barin*, asesino, y le contaré todo lo que has hecho...

Fueron a hablar con el *barin*. Por el camino dijo el marido:

—Espera, mujer. Mira las peras que han crecido en ese olmo. ¿Las cogemos?

—¡Venga!

Recogieron un saco entero, lo llevaron a su casa y otra vez se pusieron en camino. Llegaron a casa del *barin* y la mujer empezó:

—¡*Bátiushka!* Te pido defensa y protección contra este malvado. Ha matado a un hombre, le ha robado el dinero que llevaba encima y ha escondido el cadáver entre unos matorrales.

—¿Estás loca? Todo eso es mentira. No crea usted lo que dice: hace tiempo que anda mal de la cabeza. Yo he matado un carnero y a ella le pareció que era una persona.

El *barin* fue a cerciorarse por sus propios ojos. Miró entre los matorrales, y allí estaba el carnero degollado.

—¿A qué vienen esas insidias, estúpida mujer?

—No son insidias, *barin* —insistió ella—. Digo la pura verdad. Seguro que el bribón ha escondido el cadáver en otro sitio y ha puesto ese carnero en su lugar.

—Confiesa la verdad —exigió el *barin* al campesino.

—¿Qué voy a confesar, si no tengo arte ni parte en lo que ella dice? ¿Quién hace caso de esta mujer? ¡Miente por mentir! ¿También hay que creerla si se le ocurre decir que crecen peras en un olmo?

—¡Pues claro que crecen! Hoy mismo hemos recogido un saco entero del olmo ese...

—¡Largo de aquí, pánfila! —gritó el *barin*—. Has perdido enteramente la chaveta.

La mujer tuvo que marcharse como había llegado. Luego, en casa, el marido agarró otra vez el látigo y la sacudió bien sacudida. Como que la espalda y los lomos le dolieron una semana entera.

La alcaldesa

Una mujer, que era muy decidida, le preguntó a su marido cuando volvió de la asamblea:

—¿Qué habéis estado haciendo?

—¿Qué íbamos a hacer? Elegir al alcalde.

—¿Y a quién habéis elegido?

—A nadie todavía.

—Elegidme a mí —dijo la mujer.

Conque el marido, que quería darle una lección porque tenía muy mal genio, volvió a la asamblea y así se lo dijo a los demás. Y la eligieron a ella alcaldesa. La mujer se puso en seguida a mangonear, a juzgar... Bebía vino con los hombres, se dejaba sobornar...

Llegó la fecha de cobrar los impuestos y ella no acertó a recaudarlos a tiempo. Vino un cosaco a llevarse el dinero, preguntó por el alcalde, pero la mujer corrió a esconderse en su casa en cuanto se enteró.

—¿Dónde me metería yo para que no me encuentre? —preguntó al marido—. Mira, maridito: átame dentro de un saco y ponlo donde están aquellos otros llenos de grano.

El marido metió a la alcaldesa en un saco y lo dejó entre unos cinco sacos de trigo que había allí. Llegó el cosaco y dijo:

—Conque se ha escondido el alcalde, ¿eh?

Y la emprendió a latigazos con el saco. La mujer se puso a gritar:

—¡Ay, que yo no quiero ser alcaldesa! ¡Ay, que yo no quiero ser alcaldesa!

El cosaco se marchó cuando se cansó de pegar latigazos.

A la mujer se le quitaron las ganas de ser alcaldesa y, desde entonces, se mostró muy sumisa con su marido.

Marido y mujer

Éranse un marido y su mujer que aparentemente vivían en armonía. Pero la mujer era muy especial: en ausencia del marido estaba alegre; en cuanto regresaba, caía enferma. Y siempre estaba buscando pretextos para que se ausentara. Hoy le mandaba a un sitio, mañana a otro... Mientras faltaba, ella de fiestas y de comilonas. Para cuando regresaba, todo estaba en su sitio y la mujer enferma, gimiendo tendida sobre un banco. El marido, pensando que era verdad, casi lloraba de pena.

Una vez se le ocurrió a la mujer mandarle a buscar un medicamento a Crimea. Y allá fue el marido. Por el camino se encontró con un soldado.

—¿Adónde vas, buen hombre?

—A Crimea en busca de un medicamento.

—¿Quién está enfermo?

—Mi mujer.

—Pues, si te parece, vuelve conmigo, que soy médico.

Dieron media vuelta y el campesino se encontró nuevamente frente a su pajar.

—Quédate tú aquí —dijo el soldado— mientras yo veo de qué enfermedad se trata.

El soldado entró en el patio; se acercó a la casa y oyó que allí estaban de juerga. Todo alborozado, empujó la puerta, la puerta se abrió y vio a la mujer bailando a más y mejor delante de un buen mozo que taconeaba con gran brío. Encima de la mesa había mucha bebida. El soldado llegaba en el mejor momento. Apuró una copa y también se lanzó él a bailar. A la mujer le agradó aquel soldado tan apuesto, tan gallardo. Era atento y ocurrente. Parecía como si hubiera vivido toda la vida allí.

Por la mañana, cuando quiso meter unos pastelillos en el horno, le dijo la mujer al soldado:

—Trae una gavilla del pajar.

El soldado fue al pajar, juntó una gavilla de paja, metió al marido dentro, la ató con una cuerda y se la cargó a la espalda para llevársela a la mujer.

La mujer estaba muy contenta y se puso a cantar:

—A Crimea fue un marido, fue en busca de un remedio que curara a su mujer, nadie sabe de qué... Seguro que no llegará, seguro que no volverá... ¡Canta conmigo, soldado!

Pero el soldado empezó otra canción:

—Escucha gavilla, escucha paja, lo que ocurre en esta casa.

—¡Qué canción tan fea! La mía es mejor. Canta conmigo: A Crimea fue un marido, fue en busca de un remedio que curara a su mujer, nadie sabe de qué.

Y cantaba a voz en grito. Pero el soldado repitió, más alto todavía:

—Escucha gavilla, escucha paja, lo que ocurre en esta casa. El látigo que cuelga de la pared debía estar en los lomos de quien yo me sé.

Y la gavilla escuchó, porque empezó a rebullir, reventó la cuerda y se desparramó la paja. Entonces apareció el marido, agarró el látigo y se lio a sacudir a la mujer.

El remedio fue mano de santo, porque la mujer sanó para siempre.

El roble encantado

Malo es para una mujer joven tener un marido viejo. Y malo es para un viejo tener una mujer joven. Todo lo que él dice le entra por un oído y le sale por el otro. Es capaz de embaucarle en su propia cara, de salir seca del agua clara. Y aunque el marido conozca todas sus mañas, siempre es ella quien le engaña.

A un buen viejo le tocó en suerte una mujer joven y muy pícara. A la menor reprimenda, ella contestaba:

—¡El viejo gandul! A ti no habría que darte de comer ni de beber ni camisa limpia que poner.

Y si no se aguantaba, si intentaba protestar, era peor todavía. Conque quiso escarmentarla. Fue al bosque, volvió con un haz de leña y dijo:

—¡Qué cosas tan asombrosas ocurren en el mundo! Hay en el bosque un viejo roble que me ha adivinado todo lo pasado y que me ha dicho, además, lo que aún me ocurrirá.

—¡Ay, también quiero ir yo! Ya sabes, viejo, que se nos mueren las gallinas, que los otros animales no engordan... Voy a charlar con el roble a ver qué me dice.

—Pues date prisa. Aprovecha que ahora habla, porque cuando se calle no habrá manera de sacarle una palabra más.

Mientras se preparaba la mujer, el viejo se le adelantó para esperarla metido en un agujero del roble.

Llegó la mujer, se hincó de rodillas delante del roble y empezó a rogarle y suplicarle:

—Roble frondoso del bosque, roble adivino y parlante: dime lo que debo hacer. Yo no quiero amar a un viejo. Yo le quiero dejar ciego. ¿Qué pócima servirá para que llegue a cegar?

—Deja los mejunjes, que nunca han servido —contestó el roble—, pero abre el ojo para la comida. Ponle una gallina asada, y con crema aderezada. No escatimes nada. Que coma todo cuanto quiera y tú a la mesa ni te sientes siquiera. Dale arroz con leche, y que esté bien dulce. Que coma, no te preocupes. Luego, una fuente de rosquillas hechas con mantequilla... Que coma, que coma a su antojo, y verás cómo ciegan sus ojos.

Volvió la mujer a su casa y encontró al marido quejándose en el rellano de la estufa.

—¿Qué te pasa, viejecito mío? ¿Te duele algo otra vez? ¿Otra vez te has puesto enfermo? ¿Quieres que ase una gallina y amase unas rosquillas hechas con mantequilla? ¿Te parece bien?

—Pues sí que me gustaría; pero ¿no está la despensa vacía?

—Tú no te apures por eso. Mira que aunque no lo creas, me preocupas de veras. Come y bebe cuanto quieras.

—Siéntate y come también.

—¡Deja, hombre! ¿Para qué? Tú eres quien debe comer. Yo, por mi parte, con un cantero tengo bastante.

—¡Ay! Aguarda: dame un vaso de agua.

—Encima de la mesa está la jarra.

—¿Dónde? No la veo por aquí.

—Delante mismo de ti.

—¿Pero dónde? ¡Si todo es oscuridad!

—Mejor será que te vuelvas a acostar.

—Y la estufa, ¿dónde está? Tampoco la puedo encontrar.

El viejo hizo como si quisiera meterse de cabeza en la boca de la estufa.

—¿Estás ciego? ¿Qué te pasa?

—¡Ay, Dios castiga la gula! De tanto comer, he dejado de ver.

—¡Qué pena me da! Pero acuéstate. Yo voy a un recado; pronto volveré.

Salió toda presurosa a invitar a sus amistades y se organizó una gran comilona. Tanto bebieron, además, que el vino llegó a faltar. Corrió la mujer a traer más.

Entonces el viejo, viendo que no estaba su mujer y que los invitados se habían adormilado de tanto comer, se bajó del rellano de la estufa y empezó a atizarles —a unos en la cabeza, a otros en las cos-

tillas—, hasta que los dejó patitiesos. Entonces le metió una rosquilla a cada uno en la boca, como si se hubieran estrangulado ellos solos al comer, y volvió al rellano de la estufa a descansar.

La mujer regresó a casa y se quedó helada al ver aquel cuadro:
todos sus amigos yacían como pajarillos, con una rosquilla entre los
dientes. Se puso a buscar una solución, a cavilar en lo que podría
hacer con los cadáveres.

Acertó a pasar por allí un tonto.

—¡Eh, tú, escucha! —gritó la mujer—. Toma una moneda de
oro y sácanos de este apuro.

El tonto cogió el dinero y se llevó los cadáveres. A unos los
echó al río por un *prórub*, a otros los recubrió de lodo... En fin, que
los hizo desaparecer y borró todas las huellas.

Una piel que resulta cara

En una aldea vivían dos hermanos: Danilo y Gavrilo. Danilo era rico y Gavrilo, pobre. Por toda hacienda tenía solo una vaca, pero incluso esa vaca le envidiaba Danilo. Un día fue Danilo a comprar algunas cosas a la ciudad, y al volver pasó por casa de su hermano.

—¿Para qué tienes esa vaca, hombre? Ahora vengo de la ciudad y he visto que las vacas están muy baratas, a cinco o seis rublos, mientras que la piel de cada una se vende a veinticinco.

Gavrilo se lo creyó, mató la vaca, se comió la carne, esperó que fuera día de mercado y fue a la ciudad con la piel para venderla. Le vio un curtidor y preguntó:

—¿Vendes esa piel, amigo?

—Sí.

—¿Cuánto pides?

—Veinticinco rublos.

—¿Estás loco? Te doy dos rublos y medio.

Gavrilo no aceptó y anduvo todo el día con la piel a rastras de un lado para otro. Nadie quería darle más. Pasaba al fin por delante de una posada cuando le vio un mercader y le preguntó:

—¿Vendes esa piel?

—Sí.

—¿Pides mucho por ella?

—Veinticinco rublos.

—¡Tú no estás en tus cabales! ¿Dónde has oído que se paguen así las pieles? Toma dos rublos y medio si quieres.

Gavrilo se lo pensó un poco y dijo:

—De acuerdo, señor mercader. Te la cedo. Pero dame por lo menos un vaso de vodka de propina.

—Eso se arregla muy fácil —aceptó el mercader y, después de darle los dos rublos y medio, sacó un pañuelo del bolsillo—. Toma: llama en aquella casa de piedra y dile a mi mujer, de mi parte, que te sirva un vaso lleno.

Gavrilo tomó el pañuelo del mercader y fue a la casa. La mujer salió a abrir.

—¿Qué quieres? —preguntó.

—Señora —explicó Gravrilo—: le he vendido a tu marido una piel por dos rublos y medio, más un vaso lleno de vodka de propina. Conque me ha mandado aquí a traerte este pañuelo y decirte que me lo des tú.

La mujer del mercader le presentó el vaso a Gavrilo, pero no lo llenó hasta arriba. Gavrilo se lo bebió y siguió allí parado.

—¿A qué esperas? —preguntó la mujer.

—El trato era un vaso lleno —contestó Gavrilo.

Precisamente entonces tenía la mercadera a su amante en casa. Este les oyó hablar y dijo:

—¡Échale más, mujer!

La mercadera le ofreció medio vaso más. Gavrilo se lo bebió también, pero no se movió del sitio.

—Y ahora, ¿a qué esperas? —volvió a preguntar la mujer.

—El trato era un vaso entero y tú me has dado medio solamente —contestó Gavrilo.

El amante le dijo a la mercadera que le escanciara un tercer vaso. La mercadera agarró entonces la garrafa, le puso un vaso a Gavrilo en la mano y vertió vodka en él hasta que rebosó. No había terminado Gavrilo de bebérselo cuando oyeron que regresaba el mercader. La mujer, toda apurada, dijo al amante:

—¿Dónde te escondería yo?

El amante empezó a dar vueltas por la sala, y Gavrilo detrás de él gritando:

—¿Y yo, dónde me meto?

Hasta que la mujer abrió un camaranchón y los metió dentro a los dos.

El mercader venía con unos amigos. Bebieron unas copas y se pusieron a cantar. Gavrilo, metido en el camaranchón, le dijo a su compañero:

—Tú harás lo que quieras, pero esta es la canción que más le gusta a mi padre, y yo tengo que cantarla.

—¿Qué dices, hombre, qué dices? No cantes, por favor. Toma cien rublos, pero calla.

Gavrilo cogió el dinero y calló.

Poco después, el mercader y sus amigos entonaron otra canción. Gavrilo le dijo a su compañero:

—Tú harás lo que quieras, pero ahora tengo que cantar. Esta es la canción que más le gusta a mi madre.

—¡No, por favor! Toma doscientos rublos, pero no cantes.

Gavrilo, tan contento de tener ya trescientos rublos, se guardó el dinero y no rechistó.

Al cabo de un rato cantaron por tercera vez. Dijo Gavrilo:

—Aunque me des cuatrocientos rublos, ahora sí que canto.

La mujer oyó el revuelo que estaban armando, entreabrió la puerta y preguntó:

—¿Qué os pasa?

El amante le pidió entonces quinientos rublos. Ella los trajo en seguida. Gavrilo cogió también aquel dinero y no cantó.

Luego, husmeando por el camaranchón, encontró una almohada y un barril de brea. Le dijo a su compañero que se desnudara y le embadurnó de brea. Luego reventó la almohada, esparció las plumas por el suelo y le mandó que se revolcara en ellas. Cuando estuvo todo emplumado, montó a caballo sobre sus espaldas, abrió el camaranchón y salió gritando:

—¡La novena partida se larga de esta casa!

Los invitados, al verlos, escaparon a sus casas pensando que eran demonios. Después de aquella desbandada le dijo la mercadera a su marido:

—¿Ves tú? Ya te había advertido yo de que algo raro pasaba en nuestra casa.

El tonto del mercader se lo creyó y vendió la casa por una miseria. Gavrilo volvió a su casa y mandó al mayor de sus hijos a pedirle a Danilo que viniese para ayudarle a contar el dinero. El hijo fue y le dio el recado a su tío, pero este se echó a reír.

—¿Tanto tiene que contar? ¿Es que Gavrilo no es capaz de contar dos rublos y medio él solo?

—No, tío: ha traído mucho dinero.

Intervino la mujer de Danilo:

—Anda, hombre, acércate. ¿Qué trabajo te cuesta? Por lo menos, te reirás de él.

Danilo le hizo caso a su mujer y fue a casa de su hermano.

Cuando Gavrilo puso sobre la mesa el montón de dinero, Danilo preguntó muy extrañado:

—¿De dónde has sacado todo esto, hermano?

—¿Cómo que de dónde? Pues ya sabes: maté la vaca y vendí su piel en la ciudad por veinticinco rublos. Entonces compré cinco vacas, las maté también y vendí cada piel por el mismo precio. Y así sucesivamente...

Al oír que su hermano había juntado tanto dinero con esa facilidad, Danilo volvió a su casa, mató todos los animales que tenía y esperó que fuera día de mercado. Como hacía calor, la carne se le estropeó toda. Llevó a vender las pieles, y nadie quiso darle más de dos rublos y medio por cada una.

De manera que salió mal parado en el negocio y desde entonces vivió peor que Gavrilo.

En cuanto a Gavrilo, valiéndose de su ingenio llegó a juntar una fortuna.

Cómo se quita la afición a los cuentos

Érase un posadero a cuya mujer le gustaban tanto los cuentos que le prohibió alojar a quien no supiera contarlos. Como esta manía perjudicaba el negocio, el marido se dijo: «Tengo que escarmentarla con eso de los cuentos».

Conque una vez, en pleno invierno y ya de noche, llamó un viejecito todo aterido y pidió posada. El marido salió a abrirle.

—¿Tú sabes contar cuentos? —le preguntó—. Porque mi mujer no me deja admitir a nadie que no sepa.

El viejo, viendo que la cosa se enredaba y él estaba muerto de frío, contestó:

—¡Claro que sí!

—¿Y estarás mucho tiempo contando?

—Pues toda la noche.

—Bueno, pues muy bien.

El posadero dejó entrar al viejo y le dijo a su mujer:

—Mira: aquí tienes a un hombre que promete pasarse toda la noche contando cuentos a condición de que nadie le contradiga ni le interrumpa.

Y el viejo insistió en lo mismo:

—Eso es. Que no me interrumpan, o no contaré ninguno.

Conque cenaron, se acostaron y empezó el viejo:

—Volaba una lechuza por un huerto y se posó a beber agua en una artesa; volaba una lechuza por un huerto y se posó a beber agua en una artesa...

Y vuelta a lo mismo:

—Volaba una lechuza por un huerto y se posó a beber agua en una artesa...

La mujer estuvo escuchando un rato, hasta que no pudo aguantarse:

—¡Pues valiente cuento! Todo es repetir lo mismo...

—¿Y por qué me has interrumpido? ¿No dije que nadie lo hiciera? Este es un cuento que se empieza así, pero luego viene otra cosa.

El marido, que solo esperaba un pretexto, se levantó al oír lo que decía el hombre y la emprendió a golpes con su mujer.

—¿No te han dicho que no interrumpas? No le has dejado terminar el cuento...

Tal paliza le dio, que la mujer les tomó odio a los cuentos y juró no escuchar ninguno más.

El serón

En un lugar apartado había un pequeño caserío. Vivía en ese caserío una familia poco numerosa: un abuelo viejecito, su hijo casado, que se llamaba Nichipor, y un hijo de Nichipor todavía pequeño.

El abuelo había perdido ya todas sus fuerzas, andaba casi doblado en dos y tenía la cabeza blanca, muy blanca, como si le hubieran vertido leche encima. Y el pobre no podía hacer ya ningún trabajo, claro. A Nichipor, eso le tenía muy disgustado. Él hubiera querido que su padre trabajara algo. Hasta que pensó un día:

—Tengo que deshacerme de mi padre. Es ya demasiado viejo. ¡Bastante debo afanarme yo para ganar el pan!

Llegó el invierno. Nichipor bajó del desván un serón ancho y muy largo, llamó a su hijo y le dijo a su anciano padre:

—Vamos al campo, padre. Tú has vivido ya bastante. Así, ni sufrirás tú ni harás sufrir a los demás.

Y se llevaron al viejo abuelo. Al oír aquellas palabras, el abuelo no hizo más que ponerse a llorar amargamente.

Nichipor condujo al abuelo hasta el borde de un barranco muy profundo, metió al pobre viejo en el serón que había traído, bajó al padre en él hasta el fondo y dijo:

—Ahora, padre, adiós. Y no me guardes rencor.

Se disponía a volver a su casa cuando el nieto de aquel abuelo le dijo a su padre:

—Hay que recoger el serón, padre.

—¿Para qué? Puede quedarse ahí.

—¿Cómo que para qué? Para que yo te eche también a ti al barranco cuando seas tan viejo como el abuelo.

Nichipor se llevó entonces las manos a la cabeza.

—¡Estúpido de mí! ¿Qué he hecho? —exclamó—. Gracias, hijo mío, por haberme dado esta lección.

Y bajó corriendo al barranco, sacó de allí a su anciano padre, le pidió perdón y le mantuvo hasta el día de su muerte para que tampoco a él le abandonara su hijo.

La cruz fue el aval

En una ciudad vivían dos mercaderes junto al río. Uno era ruso, el otro tártaro, y ambos tenían mucho dinero. Pero sucedió que al ruso le fallaron ciertos negocios, hubo de declararse en quiebra y se quedó sin nada: todos sus bienes fueron embargados y subastados.

¿Qué podía hacer el mercader ruso, si se había quedado en la miseria? Acudió a su amigo el tártaro a pedirle dinero prestado.

—Haría falta algún aval.

—¿Y quién va a avalarme, si todos me han vuelto la espalda? Pero aguarda: acepta como aval la cruz milagrosa de la iglesia.

—Está bien, amigo —aceptó el tártaro—. Yo creo en vuestra cruz. Para mí, vuestra fe vale tanto como la mía.

Y le prestó cincuenta mil rublos al mercader ruso.

El ruso tomó el dinero, se despidió del tártaro y se marchó de nuevo a comerciar por distintos lugares.

Al cabo de un par de años, con aquellos cincuenta mil rublos había ganado ya ciento cincuenta mil. Conque una vez que navegaba de un lugar a otro por el río Danubio con sus mercaderías, estalló una fuerte tormenta que amenazaba con hundir el barco.

El mercader se acordó entonces de que había tomado un préstamo con el aval de la cruz milagrosa, pero no había devuelto aún el dinero y pensó que seguramente a eso se debía la tormenta. No hizo más que pensar en ello y empezó a aplacarse la tormenta. Entonces cogió un barrilillo, metió dentro cincuenta mil rublos, escribió una esquela para el tártaro, la puso con el dinero y lanzó el barrilillo al agua diciendo:

—Ya que la cruz me sirvió de aval, la cruz hará que llegue a su destinatario.

El barrilillo se fue inmediatamente al fondo, y todo el mundo pensó que el dinero se había perdido.

Pero ¿qué sucedió?

El tártaro tenía una cocinera rusa. Un día fue la cocinera a sacar agua del río y vio flotar un barrilillo. Se metió en el agua y quiso alcanzarlo. Pero ¡quia! ¿Que ella se acercaba? El barrilillo se alejaba. ¿Que ella volvía hacia la orilla? El barrilillo iba detrás flotando.

Siguió un rato con aquel trajín, hasta que volvió a su casa y se lo contó a su amo. El tártaro no la creía al principio, pero luego quiso cerciorarse de lo que decía por sus propios ojos.

Llegó al río y, efectivamente, flotaba un barrilillo cerca de la orilla. El tártaro se quitó la ropa, entró en el agua, y al instante comenzó el barrilillo a acercarse a él. El tártaro lo pescó, lo llevó a su casa, lo abrió y encontró dentro dinero y una esquelita. Cogió el papel y leyó:

—Querido amigo: Te devuelvo los cincuenta mil rublos que me prestaste con el aval de la cruz milagrosa.

El tártaro se quedó maravillado de la fuerza de la cruz milagrosa. Contó el dinero para ver si estaba todo: no faltaba ni una moneda.

Entre tanto, el ruso había juntado un buen capital comerciando durante unos cinco años. Volvió a su tierra y, pensando que se había perdido el barrilillo, lo primero que quiso fue quedar en paz con el tártaro. Fue a su casa y le presentó la cantidad prestada.

Entonces el tártaro le refirió todo lo ocurrido: que había sacado del río el barrilillo con el dinero y la esquela. Le enseñó el papel y preguntó:

—¿Es esto de tu puño y letra?

—De mi puño y letra es.

Todos se admiraron de aquel milagro, y dijo el tártaro:

—De manera, hermano, que no necesito más dinero tuyo. Quédatelo.

El mercader ruso mandó decir unas misas para agradecerle a Dios su amparo y el tártaro fue al día siguiente a bautizarse con toda su familia.

Hizo de padrino el mercader ruso y de madrina la cocinera.

Luego vivieron ambos muchos años ricos y felices, llegaron a una edad avanzada y murieron en paz.

Una historia de San Nikolái

Vivía en una ciudad un ladrón que había cometido ya muchas fechorías.

Una vez desvalijó a un hombre rico, pero fue descubierto y empezaron a perseguirle.

Después de correr mucho tiempo por el bosque, se encontró frente a una estepa lisa de lo menos diez verstas de extensión. Y allí se detuvo, en el lindero del bosque, sin saber qué hacer. Si se lanzaba a la estepa, pronto le alcanzarían, porque se veía todo en dos verstas a la redonda y, según oía, sus perseguidores estaban ya muy cerca. Entonces rezó:

—Señor: ten piedad de mi alma pecadora. San Nikolái bendito, protégeme y te prometo un cirio de los grandes.

De repente apareció como por ensalmo un hombre de edad y le preguntó al ladrón:

—¿Qué acabas de decir?

—Acabo de decir: «San Nikolái bendito, protégeme». Y le he prometido un cirio de los grandes.

Luego le confesó al viejo sus pecados. Y el viejo dijo:

—Métete en esa carroña si quieres.

Porque allí cerca había un animal muerto. Al ladrón no le quedaba otro remedio si no quería que le apresaran. Conque se metió en la carroña y el anciano desapareció al instante. Porque aquel anciano era el propio San Nikolái.

En esto desembocaron los perseguidores en el lindero del bosque, se lanzaron a la estepa, recorrieron cosa de media versta y, al no ver a nadie, volvieron para atrás.

Todo ese tiempo estuvo el ladrón metido dentro de la carroña, sin poder respirar apenas de la peste que despedía.

Salió por fin cuando sus perseguidores se alejaron y vio nuevamente al mismo anciano, que estaba allí cerca recogiendo cera.

El ladrón fue a darle las gracias por su salvación, y el viejo preguntó:

—¿Qué le prometiste a San Nikolái cuando le pedías protección?

—Le prometí un cirio de los grandes —contestó el ladrón.

—¿Sí, verdad? Pues has de saber que tanto como te ha repugnado a ti estar metido dentro de esa carroña le repugnaría a San Nikolái tu cirio.

Luego le advirtió:

—Nunca les pidas a Dios ni a sus santos que intercedan por las malas acciones, porque Dios no bendice las malas acciones. Conque recuerda mis palabras y diles también a los demás que nunca pidan a Dios por las malas acciones.

Dicho lo cual, desapareció de su vista.

El tacaño

Érase un rico mercader llamado Marko, el hombre más tacaño que pueda existir.

Un día salió a pasear y vio a un pobre en el camino. El viejo estaba sentado pidiendo:

—Una limosna, por el amor de Dios, buenos ortodoxos...

Marko el Rico pasó de largo. Casualmente iba detrás de él un pobre campesino que se compadeció del pordiosero y le dio un kopek. A Marko le entró vergüenza, se detuvo y le dijo al campesino:

—Escucha, paisano: préstame un kopek. Quiero darle algo a ese pobre, pero no llevo suelto.

El campesino le dio la moneda y preguntó:

—¿Cuándo me lo devolverás?

—Ven mañana a buscarlo.

El pobre campesino se presentó al día siguiente en casa del rico mercader a que le devolviera su kopek. Entró en el patio, que era muy grande, y preguntó:

—¿Está Marko el Rico en casa?

—Aquí estoy. ¿Qué quieres? —contestó Marko.

—Vengo a que me devuelvas mi kopek.

—¡Ay, hermano! Vuelve más tarde: te aseguro que no tengo suelto.

El pobre saludó y dijo al retirarse:

—Vendré mañana.

Al día siguiente fue, y lo mismo:

—No tengo nada suelto. Si quieres, dame la vuelta de cien rublos. Pero si no tienes, vuelve dentro de dos semanas.

A las dos semanas se encaminó otra vez el pobre a casa del rico. Marko le vio venir por la ventana y le dijo a su mujer:

—Escucha, mujer: voy a desnudarme y a tenderme debajo de los iconos. Tú cúbreme con un lienzo blanco y siéntate al lado a llorar como se llora a los difuntos. Cuando venga el campesino a cobrar lo que le debo, dile que me he muerto hoy.

La mujer lo hizo todo como le había mandado el marido, y cuando el campesino entró en la sala la encontró anegada en amargo llanto.

—¿Qué quieres? —preguntó la mujer.

—Vengo a cobrar lo que me debe Marko el Rico.

—¡Ay, buen hombre! Marko el Rico acaba de morirse.

—¡Dios le acoja en su seno! Si me lo permites, a cuenta de mi kopek le prestaré el servicio de lavar su cuerpo pecador.

Con estas palabras agarró un caldero de agua caliente y se puso a escaldar a Marko el Rico. El mercader casi no podía resistirlo, arrugaba la cara y pataleaba.

—Por mucho que patalees, tú me devuelves mi kopek —rezongó el campesino y, después de lavarle, le amortajó.

—Ahora —le dijo a la mujer— encarga un ataúd, haz que lo lleven a la iglesia y yo rezaré las oraciones de los difuntos a su lado.

Metieron a Marko el Rico en un ataúd, lo llevaron a la iglesia y el campesino se puso a rezar a su lado.

Era noche cerrada cuando se abrió de pronto una ventana de la iglesia y aparecieron unos ladrones. El campesino se escondió detrás del altar. Entraron los ladrones y se pusieron a repartirse el botín. Todo lo repartieron por igual hasta que solo quedó un sable de oro: cada uno estaba empeñado en quedárselo él.

Entonces apareció el campesino gritando:

—¿A qué viene tanta discusión? El que le corte la cabeza al muerto, que se quede con el sable.

Marko el Rico pegó un salto, enloquecido, los ladrones se asustaron, tiraron allí todo el botín y echaron a correr.

—Bueno, hombre, vamos a repartirnos esto.

Se lo repartieron por partes iguales y los dos sacaron un gran botín.

—¿Y el kopek? —preguntó el campesino.

—Ya lo ves, hermano: no tengo suelto.

De manera que Marko el Rico acabó no devolviendo el kopek.

VOCABULARIO

Arshin: Antigua medida rusa equivalente a 0,71 metros.

Baño: El baño ruso es un baño de vapor. Para calentarlo se hace fuego debajo de unas grandes piedras que sostienen los calderos del agua. Esas mismas piedras, muy calientes, producen el vapor cuando les vierten agua encima.

Barin (f. *bárinia*): Señor, en el sentido de amo, dueño de vidas y haciendas.

Bátiushka: Literalmente, padrecito. Se emplea como tratamiento deferente y expresa sumisión. humildad y vasallaje.

Beluga: Uno de los mayores peces de río conocidos. Excepcionalmente han llegado a encontrarse ejemplares de hasta nueve metros de largo y dos toneladas de peso. Es un pez de gran longevidad, que puede llegar a vivir cien años.

Bogatir: Hombre recio, bien plantado, valiente y de fuerza extraordinaria.

Boyardos: Nobles, altos personajes próximos a la corte.

Ceniza: La ceniza de las estufas rusas, donde solo se consumía madera como combustible, era utilizada para extraer álcali cáustico.

Cubo: El cubo corriente, de unos 16 litros de capacidad, era utilizado por la gente del pueblo como medida para líquidos y áridos, así como para patatas, manzanas, etcétera.

Chetvérik (pl. *chetvériki*): Literalmente «cuartillo». Medida de capacidad igual a 26,239 litros.

Estufa: La estufa rusa es toda una construcción de ladrillo. Muy ancha de base, con bancos a los lados, fogón y horno para el pan, se escalona hacia arriba formando rellanos destinados a distintos usos y que también sirven de lecho.

Grosh: Antiguamente, moneda que valía medio kopek.

Gusli: Antiguo instrumento musical de cuerda.

Isba: Típica vivienda rusa hecha de troncos.

Kaftán: Especie de levita.

Kopek: Centésima parte de la unidad monetaria rusa, que es el rublo.

Kvas: Bebida refrescante de pocos grados que se obtiene haciendo fermentar pan de centeno con levadura de azúcar.

Lapti (pl. de *lápot*): Calzado de los campesinos rusos, parecido a las albarcas, hecho de tiras de corteza de abedul entretejidas.

Mátushka: Literalmente, madrecita.

Pagano: Esta palabra no se emplea en el sentido literal, sino en el de odioso, malvado.

Pope: Sacerdote de la religión ortodoxa rusa.

Popovna: Hija de pope.

Prórub: Agujero que se abre en el hielo cuando los ríos se quedan totalmente congelados para poder sacar agua.

Prosvirka: Pan consagrado, del tamaño de una figurita de mazapán, que sustituye a la hostia en el rito ortodoxo ruso.

Pud: Antigua medida de peso igual a 16,3 kilos.

Sal: La sal (sal gema) era monopolio de la Corona. Tenía un precio bastante elevado, con lo cual la gente humilde pasaba más calamidades, puesto que hace falta para conservar las verduras, el pescado, etc., durante el largo invierno ruso.

Sazhena: Antigua medida igual a 2,134 m.

Silbido: Esta palabra tenía también el sentido de rugido, vozarrón, incluso estrépito. Se utiliza mucho en el folclore ruso.

Soldado: En la época zarista, el campesino siervo podía ser enviado al servicio militar por muchos años (diez, veinticinco, treinta o incluso a perpetuidad). Por eso en los cuentos populares el soldado no es un mozo imberbe, sino un hombre ingenioso y experimentado.

Sujari (pl. de *sujar*): Especie de galletas. No se fabrican especialmente. Son rebanadas de pan corriente de centeno secadas para su conservación.

Ukaz: Ucase, decreto.

Versta: Antigua medida igual a 1,06 km.

Vodka: Aguardiente de cereales, incoloro y de fuerte graduación alcohólica.

Zar (en ruso se pronuncia *tsar*): Emperador ruso, aquí en el sentido de rey.

Zarevich (*tsarévich*): Hijo del zar en el sentido de príncipe real.

Zarevna (*tsarevna*): Hija del zar en el sentido de princesa real.

Zarina (*tsaritsa*): Esposa del zar.

ÍNDICE ALFABÉTICO
DE LOS CUENTOS POPULARES RUSOS
DE A.N. AFANÁSIEV